MÃES DE JOELHOS, FILHOS DE PÉ

NINA TARGINO

MÃES DE JOELHOS, FILHOS DE PÉ

O que acontece quando você ora

São Paulo

Copyright © 2015 por Nina Targino
Publicado por Editora Mundo Cristão

Os textos das referências bíblicas foram extraídos da *Nova Versão Internacional* (NVI), da Biblica Inc., salvo indicação específica.

Todos os direitos reservados e protegidos pela Lei 9.610, de 19/02/1998.

É expressamente proibida a reprodução total ou parcial deste livro, por quaisquer meios (eletrônicos, mecânicos, fotográficos, gravação e outros), sem prévia autorização, por escrito, da editora.

CIP-Brasil. Catalogação na Publicação
Sindicato Nacional dos Editores de Livros, RJ

T192m

Targino, Nina
    Mães de joelhos, filhos de pé: o que acontece quando você ora / Nina Targino. — 1. ed. — São Paulo: Mundo Cristão, 2015.
    144 p.; 21 cm.

    ISBN 978-85-433-0090-0

    1. Deus - Adoração e amor. 2. Oração - Cristianismo. 3. Fé. I. Título.

15-23183   CDD: 248.32
                                                            CDU: 248.143

Categoria: Oração

Publicado no Brasil com todos os direitos reservados por:
Editora Mundo Cristão
Rua Antônio Carlos Tacconi, 69, São Paulo, SP, Brasil, CEP 04810-020
Telefone: (11) 2127-4147
www.mundocristao.com.br

1ª edição: setembro de 2015
14ª reimpressão: 2024

Para as minhas irmãs do movimento Desperta Débora, amigas queridas. Nossas histórias, que se entrelaçam numa jornada de fé e oração por nossos filhos e pela juventude, deram força a este livro. Juntas somos mais fortes e vamos mais longe!

SUMÁRIO

Agradecimentos 9
Apresentação 11
Introdução 15

1. De joelhos
Por que precisamos orar pelos filhos? 23

2. Ore bem
Como devemos orar? 37

3. Perigo à vista
Quais são as maiores ameaças à vida espiritual dos filhos? 53

4. Mantenha-se alerta
Quais são os principais cuidados ao orar pelos filhos? 69

5. Faça a coisa certa
Quais são os erros mais frequentes na intercessão pelos filhos? 83

6. Seja específica
Filhos diferentes pedem tipos de oração direcionados? 97

7. Além da oração
Que outras disciplinas espirituais devemos praticar? 111

Conclusão 125
Plano anual de oração em favor dos filhos 131
Sobre a autora 137

AGRADECIMENTOS

Ao Senhor, meu Deus, pelo amor incondicional que me salvou! A Jesus, por sua presença forte e especial em minha vida. Ao Espírito Santo, por ter falado tão profundamente ao meu coração!

Aos meus filhos, Dani, Júnior, Carla, Beto, Aninha e Aguinaldinho. Aos meus netos, Malu, Bia, Davi, Raquel, Gabi e Luiza, presentes lindos do Senhor que entendem minhas ausências.

À minha mãe, Nora, primeira a ler os escritos deste livro, e à minha querida família. Amo vocês.
Aos pastores Marcelo Gualberto e Jeremias Pereira, pelo exemplo e pela confiança.

Ao querido editor Maurício Zágari, esse menino que acreditou que eu poderia escrever um livro.

Às queridas regionais Zezé, Simone, Noeli, Carla e Adriana, por sua amizade, seu amor e seu apoio.

A Eulália e Alfeu, pelos cuidados comigo, e a cada um dos amigos e amigas queridos que me ajudam a levar adiante meu ministério. Eles sabem quem são e que os amo.

A Márcia, nossa secretária, cujo trabalho no escritório me ajudou a escrever com calma.

APRESENTAÇÃO

O amor por um filho é um sentimento indescritível! É difícil para alguém que ainda não gerou uma vida — seja fisicamente, seja no coração — compreender o que se passa dentro do peito de um pai ou uma mãe: é uma mistura explosiva de emoções, alegrias, desejos, empolgações e tantas outras realidades boas e difíceis de traduzir em palavras.

E não é só isso. Junto com esse amor do tamanho do mundo, vêm, também, preocupações, angústias, receios e medos. Como criar um filho com segurança e paz de espírito em uma época de tanta violência, ofertas perigosas e tentações destrutivas? Dá para não passar um dia sem temer que algo de ruim sobrevenha àqueles que mais amamos? Afinal, não conseguimos controlar todas as coisas, tampouco ter olhos em todos os lugares, muito menos estar presentes em cada local aonde nosso filho vá.

Mas há alguém que consegue.

Deus é onipotente, onisciente e onipresente. Ele tudo pode, tudo sabe e está em toda parte. Por isso, dependemos da interferência desse ser majestoso, poderoso e amoroso para que nossos filhos atravessem a vida sob a atenção e os cuidados de que precisam para transpor cada barreira, desafio e perigo. Sim, fato é que somente o Criador do Universo pode viver em constante dedicação à nossa família, 24 horas por dia, todo dia. Isso de modo nenhum significa que podemos ficar inertes; muito pelo contrário: devemos agir! Como? Da maneira mais extraordinária pela qual duas pessoas podem se relacionar: a oração.

Se você é mãe, tenha a certeza de que, ao dobrar os joelhos em favor de seu filho, você contribui decisivamente no mundo espiritual para que ele tenha toda a atenção de que precisa. Mais do que isso: para que ele seja conduzido ao encontro da misericórdia salvadora de Cristo, o único capaz de estender a chave da graça e abrir as portas da eternidade. Por isso, um pai ou uma mãe jamais pode se conformar em atravessar a vida sem uma rotina de intercessão em favor de quem mais ama. E se há alguém que sabe muito bem disso é Maria Luiza Targino.

Coordenadora nacional do ministério Desperta Débora, ligado à Mocidade para Cristo (MPC), Nina Targino (como gosta de ser chamada) lidera essa organização interdenominacional, formada por um gigantesco exército de mães intercessoras, biológicas, adotivas ou espirituais, comprometidas em orar por seus filhos e pela juventude por, no mínimo, quinze minutos diários. Atualmente, já são mais de cem mil mães cadastradas em todo o Brasil e no exterior.

A diligente atuação de Nina à frente do Desperta Débora faz dela uma das pessoas com mais capacidade para falar sobre intercessão pelos filhos. Além da experiência própria — como mãe de três filhos e avó de seis netos —, ela acumula vivências sem par no contato pessoal e constante com mães que vivem os mais variados tipos de situações e dividem suas alegrias e tristezas, satisfações e frustrações, práticas e dúvidas, testemunhos e decepções.

Em vista disso, a Mundo Cristão convidou Nina para compartilhar essa extensa e valiosa bagagem de conhecimento sobre oração pelos filhos, a fim de edificar milhares de mães — e pais, por que não? — que vierem a ler *Mães de joelhos, filhos de pé*. Nesta obra, você receberá orientações, instruções, alertas e explicações sobre a maravilhosa disciplina da oração.

Ao final de cada capítulo, Nina compartilha uma oração e convida você a fazer uma intercessão pessoal pelos assuntos ali tratados. Em seguida, fornece passagens bíblicas para sua meditação. E, como líder de um grupo formado por mulheres com tantas vivências, Nina fez questão de inserir testemunhos maternos acerca da oração pelos filhos. Como forma de estimular a disciplina de dobrar os joelhos em clamor a Deus, nas páginas finais deste livro você conta, também, com um plano anual de oração, dividido em 52 semanas, com temas específicos pelos quais pode interceder.

O objetivo da Mundo Cristão é que, se você já é uma mãe de oração, a leitura desta obra contribua com reflexões que a farão direcionar ainda melhor suas conversas com Deus. E, se ainda não é adepta dessa prática, esperamos que *Mães de joelhos, filhos de pé* a motive a investir períodos diários na intercessão pelos filhos. Acredite: essa é uma das maiores provas de amor que você pode dar a eles.

Boa leitura!

Maurício Zágari
Editor

INTRODUÇÃO

Se hoje sou cristã é porque, um dia, pessoas queridas me disseram que Jesus está vivo e acessível. Mas não fizeram só isso. Elas oraram por mim e suas orações chegaram até o Pai. Meu processo de rendição foi suave, baseado na observação de testemunhos, na conversão inesperada de pessoas queridas — inclusive de minhas duas filhas — e no fato de cristãos terem me estendido amor solidário quando meu pai faleceu. Eu quis o Jesus que eles tinham e só havia uma maneira de encontrá-lo: recebendo-o como Senhor e Salvador de minha vida. Foi o que fiz, em abril de 1994. Meu encontro pessoal e único com Jesus foi a mudança mais radical e extraordinária de minha vida.

Ao receber o convite da Mundo Cristão para escrever um livro sobre oração, fiquei desconcertada. Afinal, muito já foi publicado sobre esse tema e livros bastante bons a respeito do assunto são lançados constantemente a respeito. Ao ler a proposta que recebi do editor para escrever esta obra, fiquei surpresa e, sinceramente, pensei não haver mais nada a ser dito sobre o ato de orar. No entanto, à medida que desenvolvia o texto, percebi que a oração é dinâmica, viva, um encontro do nosso coração com o de Deus, e que, por mais que se fale, pregue e escreva sobre ela, sempre haverá algo mais a ser dito.

Todos nós que conhecemos o Senhor sabemos que não podemos viver sem orar. Mas existe outro aspecto que não pode ser negligenciado: além de orarmos individualmente, em nossa intimidade, é importante levar outras pessoas a orar, como Cristo fez: "Então Jesus contou aos seus discípulos uma parábola, para mostrar-lhes que eles deviam orar sempre e nunca desanimar" (Lc 18.1). Como cristãs, devemos orar e chamar à oração.

No início da minha caminhada cristã, algumas mulheres piedosas, de oração, impactaram minha vida. Elas são testemunhas vivas do que a Bíblia fala sobre guiar as mais novas pelos caminhos de Deus (cf. Tt 2.4). Ao lembrar dessas irmãs, trago à memória um detalhe interessante que, naquela época, me preocupou demais. Todas sempre se referiam às suas orações nas madrugadas, ao nascer do sol. Ouvi-las me deixava preocupada, e seus testemunhos enchiam meu coração de dúvidas porque até hoje sou uma pessoa notívaga, gosto das primeiras horas da madrugada, do silêncio cúmplice, que traz tanta paz ao meu coração. Mas não tinha jeito, os relatos continuavam e as conversas eram sempre sobre as orações feitas muito cedo, entre quatro e cinco horas da madrugada. Para mim, era um obstáculo insuperável. Naquela época, tais declarações me fizeram acreditar que a oração não era para mim, que a intercessão era uma dinâmica que não me cabia. Afinal, eu nunca daria conta de levantar tão cedo para orar. Então, eu pensava que Deus certamente devia ter outra atividade para mim.

Que engano! O Senhor, que sempre está atento às nossas preocupações, fez chegar às minhas mãos um livro de Evelyn Christenson, intitulado *O que acontece quando as mulheres oram*.[1] A autora escreveu algo que me encheu de esperança e alegria. Evelyn diz que é possível Deus ter criado alguns de nós para serem "cotovias" e outros, "corujas". Assim, haveria pessoas vigiando em oração 24 horas por dia, ininterruptamente. Na obra, ela faz a pergunta: "Você é uma 'cotovia' ou uma 'coruja'?". Ambas são importantes, porque, quando uma se deita, a outra levanta para interceder. Imagine a minha felicidade ao descobrir que eu era uma coruja e, como tal, tinha meu lugar na escala divina de intercessão. Essa notícia mudou minha vida cristã e, creio, a de outras pessoas também. Saber que havia um espaço em que eu pudesse praticar a oração — desejo que ardia em meu coração —, foi muito importante para meu crescimento na fé.

A primeira vez que compartilhei essa experiência foi durante uma preleção. Ao final, uma senhora me procurou, emocionada. Ela me

---

[1] São Paulo: Mundo Cristão, 1980.

contou que, até aquele dia, sentia-se como um peixe fora d'água entre as intercessoras da igreja. Ao ouvir que existiam as corujas, seu coração dera um salto de alegria e felicidade. Sempre que compartilho essa história em palestras e pregações, alguém me procura, muito feliz por ter encontrado seu lugar na escala de intercessão do reino — são as queridas irmãs "corujas". É um prazer enorme quando estou em oração nas madrugadas e lembro que outras mulheres estão em vigília, em diferentes lugares do mundo, intercedendo pelas mais variadas causas diante do Senhor.

Em oração, podemos ver, em todo tempo, a bondosa mão de Deus a nos sustentar e ensinar. Com humildade e em arrependimento, aprendemos a ouvir nosso amado cada dia mais, entendendo que somos absolutamente dependentes dele, em todas as áreas da nossa vida. Depois que nos entregamos a Cristo, nossa vida é transformada. Um novo caminho se descortina à frente, rumo à intimidade com Deus. Jamais nos contentaremos com menos; dali para a frente, será sempre tudo ou nada. Por meio da oração, mergulhamos de cabeça nas profundezas, em busca do Senhor. "Aproximem-se de Deus, e ele se aproximará de vocês!..." (Tg 4.8).

> Em oração, podemos ver, em todo tempo, a bondosa mão de Deus a nos sustentar e ensinar.

Comecei, então, a dar os primeiros passos em direção àquele que seria meu principal ministério, a oração. Na primeira vez em que me escalaram para orar num evento do Dia Internacional da Mulher, eu copiei a oração que ouvira de um pastor e achara belíssima. Ainda bem que as irmãs de um grupo de oração da igreja perceberam a tempo e carinhosamente me explicaram que eu podia dizer a Deus o que estava em meu coração, não precisava copiar as palavras de nenhuma outra pessoa, mesmo que fosse alguém famoso! Compreendi, ali, que a oração deve fluir do coração, da alma. Ela é única e pessoal porque cada um tem sua maneira de falar com Deus. E, na verdade, trata-se de uma dinâmica muito simples, pois a oração é fruto de uma sede interior. O salmista disse bem: "Como a corça anseia por águas correntes, a minha alma anseia por ti, ó Deus" (Sl 42.1).

Desperta Débora

No final de 1995, cerca de um ano e meio após minha conversão, conheci o ministério Desperta Débora. Apesar da experiência que tinha desenvolvido até ali com a oração, eu sentia que faltava algo. Por isso, alegrou muito o meu coração ler, em uma revista, um artigo do pastor Jeremias Pereira sobre esse movimento de mães que se dedicam a interceder pelos filhos. Aquele texto mostrava que as mães estavam sendo levantadas por Deus para fazer parte de um mover maior, e que isso era o início de algo grande, muito grande, algo planejado por Deus e que ainda não conseguíamos nem imaginar. Ainda sinto, depois de tantos anos, a emoção com que li o artigo, o coração ardendo e colorido de esperança. Havia um canto de alegria no ar; afinal, não estávamos sós, uma porta enorme se abria para que as mães pudessem se juntar por uma mesma causa: a oração pelos filhos.

Para mim, o mais importante disso tudo foi que Deus nos conduziu por um caminho específico, direto, como se estivesse apontando o dedo nesta direção: despertem, mães! Não podemos vacilar, a oração pelos filhos é a missão de Deus para nossa vida.

A experiência de conviver com outras mães de oração é como viver, em nossos dias, como descreve Atos 4.32: "Da multidão dos que creram, uma era a mente e um o coração...". A mente e o coração das mães são uma unidade em Cristo, na fé e na esperança de que os filhos voltarão da terra do inimigo e não ficarão pelo caminho. São a crença em que, em resposta à oração de uma mãe, Deus escreve uma nova história — que seguirá por toda a eternidade, junto com ele.

Tudo isso me veio à mente quando recebi do editor da Mundo Cristão o convite para escrever esta obra. Eu disse ao Senhor, então, que não queria produzir apenas mais um livro de oração entre tantos, uma vez que já existem excelentes títulos disponíveis nas livrarias. Por isso, procurei me concentrar para fazer, nas páginas a seguir, o que sei e gosto: contar histórias de vida, o que vi e vivi nos caminhos do Senhor — aqui, ali e além, acompanhada das queridas irmãs e amigas Déboras. Junto com essas mães de oração, levamos uma mensagem que salva, cura e liberta, levamos esperança para o coração de outros milhares de mães com quem nos encontramos. Palavras de ânimo semeadas em corações a quem o mundo diz que não tem jeito. Nós, não: dizemos que tem jeito, sim, porque a última palavra na história da vida de nossos filhos quem dá é o Senhor a quem servimos.

A primeira coordenadora nacional do Desperta Débora, falecida em 2000, a querida Ana Maria Pereira, dizia uma frase que nos marca até hoje: "Não colocamos filhos no mundo para povoar o inferno; queremos nossos filhos rendidos aos pés de Jesus". A luta dessa mulher, serva, esposa e mãe, por dois anos, por sua saúde, mobilizou as Déboras do Brasil inteiro num clamor a Deus. Aprouve, porém, ao Senhor chamá-la para si. Quando Ana faleceu, questionamo-nos se esse acontecimento tão triste e desanimador seria o fim para nós, que atendemos à ordem divina de orar pelos filhos. Terminaria ali o sonho? Para evitar que isso ocorresse, o Senhor levantou o pastor Marcelo Gualberto, que nos coordenou por treze anos. Foi uma honra e um aprendizado sermos lideradas por um homem de Deus com tamanha experiência e amor. Assim, o sonho prosseguiu vivo.

O Desperta Débora tem uma coordenação nacional e coordenações de regiões, estados, cidades, igrejas e grupos locais. Eu comecei coordenando em minha igreja local e, depois, assumi a região Nordeste. Em agosto de 2008, recebi o convite do pastor Marcelo para assumir a coordenação nacional em seu lugar. Diante da minha relutância, ouvi dele uma palavra que muito acrescentou ao meu aprendizado em liderança: "Chegou a hora de passar o bastão. É tempo de, novamente, uma mulher assumir a direção do Desperta Débora". Quem seria eu para questionar um líder que sabe ouvir a Deus? Confesso que não foi fácil. Eu olhava o tamanho do Brasil e ficava de coração gelado. Por isso, orei, conversei com a família e com amigos e resolvi aceitar o convite.

Em grande parte, concordei em assumir a coordenação nacional por estar com o coração aquecido pela lembrança de Ana Maria Pereira e, também, por me sentir motivada a continuar no resgate de inúmeras almas espalhadas pelo Brasil e além das nossas fronteiras — filhos e filhas, biológicos, adotivos, espirituais. Hoje, sonhamos com uma multidão de jovens ouvindo que Jesus Cristo é o Senhor.

O que compartilho neste livro são experiências com o Senhor, histórias ligadas à oração e à fé, um testemunho do muito que Deus faz em resposta à intercessão. Pelo que relatarei, desejo mostrar que nada do que apresentamos ao Pai celestial fica sem resposta. Deus está na nossa história, trabalha na nossa vida e é o maior interessado na salvação de nossos filhos. Podemos ter, sim, essa fé, pois "Os filhos são herança do Senhor, uma recompensa que ele dá" (Sl 127.3). Nessa causa, escrevemos a petição em oração, e o justo Juiz dá a sentença em nosso favor, porque os filhos são herança que ele nos dá para cuidarmos. Na verdade, a vida de nossos filhos pertence ao Senhor.

Entendemos que toda mãe que conhece a Deus e que vive a Palavra divina sabe da importância da oração e, por isso, ora pelos filhos. Qual é a necessidade, então, de ajuntamentos de mães, formação de grupos, reuniões, livros sobre o assunto... se cada uma conhece sua responsabilidade? Será que já não temos trabalho suficiente, programas demais, agendas lotadíssimas e redes sociais, para querermos arranjar mais o que fazer? Meu pensamento é igual ao que ouvi certa vez de um pregador. Ele disse: "Sozinhos vamos mais rápido, mas juntos vamos mais longe". Essa é a resposta. Juntas vamos mais longe e, se uma cair, outra a ajuda a se reerguer. "Se um cair, o amigo pode ajudá-lo a levantar-se. Mas pobre do homem que cai e não tem quem o ajude a levantar-se!" (Ec 4.10). Podemos tomar essa passagem para nós, mães que têm a mesma causa. Se estamos em contato, a dor de uma é a dor da outra, e a alegria de uma é a alegria de todas. Choramos e celebramos juntas; assim é mais fácil e prazeroso o caminhar, seja por vales sombrios e desertos, seja por altas montanhas e pastos verdejantes.

A importância da oração de uma mãe

O mundo hoje não é um lugar fácil para se viver. Olhando as estatísticas, vemos que nosso planeta está se tornando um local cada vez mais complicado, onde é difícil conviver e até mesmo sobreviver. Se acrescentarmos a situação de violência global, a falta de igualdade entre as pessoas, a dificuldade de acesso à justiça — para todos, sem distinção de classe, credo ou cor —, a economia mundial em perigo, o esfacelamento das famílias, a destruição de vidas pelas drogas e todas as tentações que nos cercam, veremos que a coisa não está nada fácil *mesmo*. Vivemos aterrorizados e, cada dia mais, trancados em nosso reduto.

Há, ainda, uma série de problemas de ordem material, estimulados pela TV e pela Internet, exigências acerca da beleza e a criação de uma falsa necessidade de gastar fortunas com roupas e outros acessórios. É uma corrida louca em busca do *ter*, ao passo que o *ser* fica bem para trás. Superar isso é um desafio. Na verdade, o desafio é viver segundo os padrões de Jesus, manter-se fiel a ele e ser uma bênção para a família e para os outros. O livro de Isaías traz uma advertência para as mulheres de Jerusalém, quando os dias eram maus e perigosos, com invasões e tribulações pela frente. Os israelitas enfrentavam até falta de água e comida, mas as mulheres viviam sem real noção do perigo: "Vocês, mulheres tão sossegadas, levantem-se e escutem-me! Vocês, filhas que se sentem seguras, ouçam o que lhes vou dizer!" (Is 32.9).

Ao longo de todo o relato bíblico, observamos a preocupação de Deus com as mulheres, que sempre tiveram papel relevante nas Escrituras. Mesmo antes da encarnação de Jesus, vemos relatos de mulheres que tiveram participação importante, como Débora, juíza que governou Israel no tempo dos juízes; Rute, a avó de Davi e ancestral de Jesus; Ester, rainha levantada para salvar os judeus; Abigail, mulher que conseguiu acalmar a fúria do rei Davi; e muitas outras — algumas até anônimas. Em Provérbios 31, uma mulher é apresentada como referência. Conhecida como "mulher virtuosa" ou "mulher exemplar", ela comercializa, governa sua casa, é uma bênção na vida do marido e dos filhos e traz honra ao esposo perante a sociedade. Regularmente, mulheres fizeram parte da narrativa bíblica e deixaram um legado que serve de exemplo para nós hoje.

Por tudo isso e mais, posso afirmar que Deus se importa com as mulheres e suas necessidades, ouve o clamor de sua alma e sente a dor de seu coração. A dor de uma mãe que suplica pelo filho dói também no coração de Deus. Nossa responsabilidade é criar os filhos para obedecer ao Senhor, seja qual for o preço! Isso exige exemplo de nossa parte, ensino da Palavra, correção, encorajamento e oração, muita oração. Essa é uma tarefa nossa, mães, e não podemos deixá-la nas mãos de nenhuma outra pessoa.

> A dor de uma mãe que suplica pelo filho dói também no coração de Deus.

Às vezes, pensamos que não temos capacidade para realizar a obra de Deus. Comparamo-nos a outras pessoas e nos vemos como menores e inexperientes para o trabalho em favor do reino. No entanto, não devemos pensar dessa maneira, porque a todos Deus concede dons. Na luta pelos filhos, não podemos ser passivas, mas, sim, mulheres e mães atuantes, em obras e orações, diante do Senhor.

Ao longo das próximas páginas, vou abordar aspectos diferentes da vida de oração. Procurei incluir, no fim de cada capítulo, testemunhos de gente guerreira, que tem histórias para contar com relação à oração, com a intenção de somar à leitura. Aprendi com minha irmã — que para mim é a melhor cerimonialista do Brasil —, que a pessoa mais importante em um evento fala por último. Depois dela, ninguém mais fala. Por isso, desejo deixar a última palavra deste livro para o Espírito Santo. Que seja ele a tocar nosso coração pelas palavras aqui registradas. Depois dele, que ninguém mais fale, mas que se escute somente a voz silenciosa de corações curvados em oração a Deus.

CAPÍTULO 1

DE JOELHOS
POR QUE PRECISAMOS ORAR PELOS FILHOS?

> E longe de mim esteja pecar contra o Senhor, deixando de orar por vocês. Também lhes ensinarei o caminho que é bom e direito.
>
> 1Samuel 12.23

Por que precisamos orar por nossos filhos? Tenho certeza de que toda mãe cristã faz, ou já fez, essa pergunta pelo menos algumas vezes. É um questionamento que explode no coração, principalmente nos momentos de grandes lutas, preocupações, urgências, fraquezas ou desânimo; naquele tempo em que ficamos na sala de espera de Deus — e que parece uma eternidade. O desafio, em períodos assim, é confiar no Senhor e continuar acreditando que a resposta de Deus virá, mesmo quando todas as circunstâncias ao nosso redor disserem o contrário. Enxergar além das aparências é um exercício de fé que gera a força e a paciência necessárias para esperar o tempo e a vontade de Deus. E, enquanto isso, orar.

Para responder sobre o motivo de orarmos por nossos filhos, precisamos nos aprofundar mais no sentido de *oração*, que vai além das definições prontas ou respostas fáceis. Orar é tirar tempo de intimidade, de relacionamento com o Senhor. E essa é uma atividade natural para quem tem fé em Jesus como Senhor e Salvador e cujo coração é morada do Espírito Santo. Elevar o pensamento ao Pai em oração é, para esses, parte da vida diária, pois orar é viver junto daquele que lhes deu uma nova chance de vida, é fazer parte do círculo dos íntimos do Pai.

Não podemos viver sem orar, pois, se o fizermos, nos faltará o fôlego para viver, sonhar, ter fé e esperança. A oração nos leva ao trono da graça, diante de um Deus amável que tem prazer em ouvir seus filhos, receber sua adoração, escutar suas súplicas e responder-lhes em seu tempo e segundo sua vontade. A nossa certeza é que Deus sempre tem a melhor resposta para nós e nossos filhos.

A oração precisa ser compreendida como a busca pela intimidade pessoal com aquele que nos deu a vida. Quando tal intimidade é alcançada, os frutos desse relacionamento transbordam para todos os lados, em alegria, fé, paciência e perseverança. Nesse momento, tudo ganha as cores da esperança e brota motivação para atravessar os vales e as montanhas da vida. Orar é uma experiência única, maravilhosa, que faz ferver o coração. É algo que vem de dentro para fora e contagia todos os que estão ao redor. A oração é a ferramenta mais poderosa e eficiente do cristão. Por tudo isso, precisamos orar.

A esta altura, pode surgir uma dúvida: existe um tempo delimitado pela Bíblia para se dedicar a cada dia à oração? O grau de intimidade que teremos com o Senhor depende de quanto tempo estaremos em oração? Se entendemos que orar é o caminho que nos leva para perto de Deus e para melhor conhecê-lo, então fica claro que precisamos investir, sim, tempo nesse relacionamento. Quanto? Todo o tempo, todas as horas, todos os minutos e todos os segundos da nossa vida! Isso não significa que você terá de ficar de olhos fechados, ajoelhada, da hora que acorda até a hora em que vai dormir; esse é um conceito muito limitado de oração. Precisamos compreender que estar em oração é viver direcionando ao Senhor tudo o que há em nós. A proximidade divina que sentimos por meio de um estado de espírito de constante oração é o que nos dá segurança para sabermos quem Deus é.

Quem nunca se dirigiu a Deus em oração vai sentir dificuldade de reconhecer sua voz. Certa vez, uma pessoa me perguntou como tínhamos a ousadia de dizer: "Deus me disse isso ou aquilo" ou "Eu senti a voz de Deus me falando tal coisa". Fiquei surpresa com a pergunta, pois nunca havia pensado naquilo. Reconhecer a voz do Senhor, saber quando é ele quem fala, algumas vezes de forma audível mesmo, é algo natural, do coração, que flui da intimidade que se tem com ele. Daí a minha

> Orar é tirar tempo de intimidade, de relacionamento com o Senhor.

surpresa. Por que ousamos dizer isso? Porque ele fala, ele se manifesta, seu Espírito Santo está em nós. Não é ousadia; é a certeza de que ele está presente. E mais: é relacionamento, fé, confiança no Pai. Oração é o ponto de encontro entre Deus e o homem que ele criou, é a conversa do coração numa linguagem única, é a esperança que se renova pela intimidade. Intimidade, de fato, é o segredo da ousadia de dizer: "Deus falou comigo"... porque ele fala.

Nesse contexto, está a oração de intercessão em favor de uma pessoa ou de uma causa. Quando intercedemos, isso agrada o coração de Deus, porque todo pai se agrada de ouvir a voz de seu filho, com quem deseja ter um relacionamento próximo. O Pai não quer apenas falar e ser ouvido; ele quer, também, que seus filhos falem com ele. Isso lhe agrada e dá prazer.

Sempre gostei de orar por pessoas e causas, o que demanda um bom tempo. Certa vez, chamei minha filha mais nova para orar. Ela, que já estava deitada e com sono, respondeu que deixasse para outra hora, porque, além do mais, eu orava muito e "dava a volta em toda a Terra", disse, brincando. Aquela resposta provocou um bloqueio e, a partir dali, toda vez que eu começava a orar, ficava me policiando para ser rápida. Com isso, em vez de "costurar" as orações, comecei a, apenas, "alinhavá-las".

Tempos depois, eu estava participando de um círculo de oração quando a irmã que dirigia a reunião veio até mim e me disse que derramasse o coração do jeito que eu sabia, porque Deus se agradava muito de quando eu me trancava no quarto e nomeava, uma a uma, as pessoas e as causas pelas quais intercedia. Naquele momento, entendi que podia me soltar e dar a volta em toda a Terra, mas também que precisava ter sabedoria e reservar certas orações de intercessão para meus momentos a sós com o Pai. Recebi aquela palavra como vinda do coração de Deus para o meu coração.

Não podemos deixar de orar, até porque é um grande erro nos afastarmos da convivência com o Senhor proporcionada pela oração. Este é o grande mal dos cristãos de nossos dias: a falta de intimidade com o Pai. Vem daí a importância de estudar a Palavra de Deus, aprofundar-se em seu conhecimento e entender o que ela diz sobre conhecer o Pai. Como diz o texto sagrado:

> Assim diz o Senhor: "Não se glorie o sábio em sua sabedoria nem o forte em sua força nem o rico em sua riqueza, mas quem se gloriar, glorie-se nisto: em compreender-me e conhecer-me, pois eu sou o Senhor e ajo com lealdade, com justiça e com retidão sobre a terra, pois é dessas coisas que me agrado", declara o Senhor.
>
> Jeremias 9.23-24

Um mundo diferente e desafiador

Existem muitos benefícios para quem escolhe ficar ao lado do Senhor e decide segui-lo e servi-lo. Por exemplo, essa pessoa nunca será envergonhada, pois, quando escolhemos o lado de Deus, optamos pelo que é sempre vencedor. Lembro-me de diferentes mulheres citadas na Bíblia que, por decidirem servir ao Criador, foram honradas, como Ester, Débora, Joquebede e muitas outras. Em comum, essas mulheres de Deus não se gloriaram na sabedoria, na força ou nas riquezas de que dispunham, mas gloriaram-se no Senhor, em compreendê-lo e conhecê-lo.

Do tempo das mulheres da Bíblia para cá, muita coisa mudou; o mundo, como o conhecemos, transformou-se totalmente, cresceu e avançou rápido, muito rápido. Mas, se avanços ocorreram em muitas áreas, por outro lado o mundo tornou-se um lugar perigoso e violento onde viver. A excelente e importante notícia é que Deus é e sempre será o mesmo. O mundo e as pessoas mudam, mas o Criador permanecerá o Senhor da história. E é quando começamos a compreender a realidade na qual vivemos que percebemos não só a necessidade, mas a urgência de orar pelos filhos.

Quando escolhemos o lado de Deus, optamos pelo que é sempre vencedor.

Fico maravilhada ao ver como o mundo tem avançado em conhecimento nas últimas décadas. Tenho a impressão de que os primeiros anos do século 21 passaram voando, dada a celeridade das descobertas feitas e das invenções criadas nesse período. Não vivemos em um mundo estático, imóvel, povoado por pessoas sem iniciativa. Pelo contrário, habitamos uma sociedade dinâmica, frenética, ousada, que apresenta conquistas diárias em todas as áreas. O que surpreende hoje em pouco tempo se torna obsoleto. Além disso, o mundo está encolhendo: se você estiver *on-line,* o outro lado do planeta vem até você e você vai até o outro lado em tempo real, numa viagem espetacular, sem sair de casa. E assim caminha a humanidade.

Se por um lado essa vida acelerada é muito boa, por outro gera um preço alto demais a ser pago. Apesar de todas as conquistas, o mundo vem se tornando um lugar superpovoado e, ao mesmo tempo, cheio de pessoas solitárias, vazias, que não sabem se relacionar porque enxergam no outro não um amigo, mas um concorrente em potencial. A frieza toma conta dos corações e — por uma questão de autoproteção, talvez — os sentimentos ficam adormecidos. Poucos no Brasil e no restante do mundo estão dispostos a dar a vida por causas ideológicas, pela pátria ou pela fé.

Diante desse cenário, fica claro que precisamos orar por nossos filhos, porque a vida como conhecemos no passado mudou, e as mudanças são irreversíveis. A pós-modernidade trouxe consigo ótimos avanços, mas também conceitos e realidades bastante preocupantes. Uma dessas novidades nocivas foi o fim de uma geração de mães que cuidavam pessoalmente da educação dos filhos, que tinham tempo para eles, que priorizavam a família, que detinham a honra de ser chamadas de "rainhas do lar". Aquelas mães verdadeiramente reinavam no lar e não sentiam a menor vergonha disso. Com a pós-modernidade, esse conceito foi se perdendo. A sociedade passou de um extremo para outro e antigos valores ficaram para trás. Essa é uma dura verdade que tem feito a diferença, para pior, na vida dos filhos.

Fui convidada a pregar em uma igreja em um Dia das Mães e toquei nesse assunto. Falei das minhas preocupações e sobre o que diz a Bíblia. Ao final, um casal jovem, com uma filhinha de apenas 2 anos, se aproximou. Eles me abraçaram e agradeceram porque aquelas palavras os haviam ajudado a tomar uma decisão muito importante para a família. Naquela noite, a menininha ganhou um tempo a mais na companhia da mãe, pois eles decidiram adiar os planos de a mãe entrar no mercado de trabalho, para ficar mais tempo com a filha. Se essa dedicação fará diferença naquela vida? O tempo dirá, mas ouso dizer, com muita esperança, que sim.

Hoje, vemos que a pós-modernidade rendeu às mulheres, por um lado, mais autonomia e excelentes conquistas profissionais; por outro, um profundo sentimento de tristeza e frustração, com altas estatísticas de perdas na área familiar. A impressão que fica é que ainda não se encontrou um ponto de equilíbrio entre o lar e o trabalho — e talvez nunca se encontre. Desde o século passado, vivemos um tempo de adaptação, de busca por esse equilíbrio. Mas a busca continua. O lado perdedor tem sido, na esmagadora maioria dos casos, o lar. A saída da mulher para o mercado de trabalho trouxe consequências inimagináveis para a família.

Aquela geração de mães está desaparecendo e essa mudança tem afetado de maneira forte a criação dos filhos. Quem precisa desempenhar os papéis de mãe, profissional, esposa, amiga, filha e tantos outros ao mesmo tempo sabe que essa não é uma tarefa fácil. Ninguém é a Mulher Maravilha; a supermulher só existe na ficção. A realidade é muito diferente. Além disso, ainda existe a culpa, que atormenta demais, pois mães que se lançam ao mercado de trabalho quase sempre sofrem com esse sentimento — por não estar o tempo todo com os filhos, por perder momentos importantes do crescimento deles, por se ausentar de algum evento da escola... Assim, filhos têm sido criados dentro dessa nova dinâmica familiar. São muitos os fatores e as pressões que afetam a mulher deste século, e os resultados, infelizmente, mostram um cenário difícil.

> A saída da mulher para o mercado de trabalho trouxe consequências inimagináveis para a família.

Diante dessa realidade, a Bíblia mostra a importância de a criança ser ensinada pelos pais, revelando que o caminho no qual o filho deve andar precisa ser apontado por pai e mãe, ao caminharem juntos: "Instrua a criança segundo os objetivos que você tem para ela, e mesmo com o passar dos anos não se desviará deles" (Pv 22.6). Quem, mais do que os pais, tem interesse de ensinar à criança o caminho da verdade? Esse é outro motivo pelo qual precisamos orar por nossos filhos.

Tive minha primeira filha há mais de quarenta anos. Quase três anos depois, nasceu meu filho e, três anos mais tarde, minha segunda filha. Olhando para eles, eu sempre me preocupava sobre como seria o futuro de cada um. Naquela época, tomei a decisão de, primeiro, criá-los; só quando estivessem crescidos eu procuraria me profissionalizar, fazer faculdade, trabalhar na profissão escolhida. Passados quinze anos dessa decisão, inscrevi-me para o vestibular de direito, fui aprovada e realizei o sonho profissional da minha vida, que era ser advogada. O tempo que dediquei aos meus filhos pequenos não me impediu de entrar em uma concorrência com meninos e meninas bem mais jovens, recém-saídos dos bancos escolares, e ser aprovada num curso bastante concorrido.

Ao procurar ensinar aos meus filhos e prepará-los para a corrida da vida, não imaginava o mundo como o que temos hoje. Aliás, acho que nenhuma mãe naquela época poderia imaginar o que enfrentaríamos no futuro. Olhando para trás, vejo que valeu muito a pena. Entendo que isso é uma decisão pessoal e que as circunstâncias da vida de cada um também afetam esse tipo de escolha. Mas é de suma importância priorizar a família.

No meu caso, só lamento uma coisa: o fato de não conhecer o Senhor naquela época. Eu pedia a Deus que abençoasse meus filhos, mas não creio que a oração saía do fundo da minha alma, do meu coração, porque eu conhecia o Senhor só de ouvir falar. Ao entregar minha vida a Cristo, meus olhos se abriram e vi com clareza a importância de suplicar pela vida deles. E é impressionante como isso, hoje, faz diferença, para mim e para eles! Até para meus netos. Sempre digo às minhas filhas como é fundamental orar pelos filhos e com eles. Sempre colhemos os frutos, não importa a idade. Bia, minha neta de 13 anos, pede sempre que a mãe ore com ela, e, mesmo viajando, liga antes de dormir para fazerem a oração juntas. Minha outra neta, Gabi, apesar de ter apenas 6 anos, também ora com a mãe e a irmãzinha menor todas as noites. Fiquei emocionada ao escutá-la um dia orando a Jesus, pedindo por sua prova de inglês. Orar com os filhos também é ensinar a eles o caminho por onde devem andar.

Compreendo que as necessidades do dia a dia muitas vezes obrigam as mães a dedicar aos filhos um tempo cada vez menor, principalmente aos pequenos. Mas, na medida do possível, o que puder ser feito para que esse tempo seja maior, em quantidade e qualidade, vai valer a pena. É uma questão de prioridade.

Amor de mãe

Para responder por que precisamos orar pelos filhos, é fundamental falar, ainda, sobre um sentimento que fervilha em nosso peito: o *amor de mãe*. Falar sobre isso é tratar de um sentimento que toma posse do coração e o preenche por todos os dias da vida, seja a mãe biológica, seja adotiva. É falar de um amor com força tal que as circunstâncias, boas ou ruins, não são páreo para concorrer com ele. O amor de mãe sempre vence. É um sentimento que põe a vida do ser amado acima da sua. Digo sem medo de errar: só Deus poderia gerar o amor de mãe, porque só ele sabe o que é entregar-se por amor a uma vida.

O sentimento materno é uma das mais fortes expressões de amor humano — se não a maior delas. Quando uma mãe sente, pela primeira vez, o filho no ventre ou no coração, no caso do filho adotivo, nasce ali um vínculo para o resto da vida. O coração materno, preparado por Deus para esse momento, desabrocha e se envolve com aquele ser de uma maneira profunda e indissolúvel. São laços que se formam para toda a vida. O amor materno é sublime, cantado e enaltecido ao longo da história por poetas e cantadores, em rima perfeita, suave e harmônica.

Na esteira desse forte sentimento vem a compreensão de que, por mais que as mães amem seus filhos e estejam dispostas a fazer os maiores sacrifícios por eles, só Deus pode guardá-los e livrá-los plenamente de todo mal. Só as mãos do Senhor conseguem estar estendidas sobre os filhos por todo lugar em que eles andarem. Deus tem o pleno controle de tudo o que acontece conosco; ele nunca dorme, mas está sempre atento, e sua atenção se volta aos mínimos detalhes de tudo o que nos cerca. O Senhor sabe daquilo pelo que estamos passando agora. Confiamos em Deus porque ele é protetor, como confirma o salmista: "O Senhor é o seu protetor; como sombra que o protege, ele está à sua direita. De dia o sol não o ferirá, nem a lua, de noite. O Senhor o protegerá de todo o mal, protegerá a sua vida. O Senhor protegerá a sua saída e a sua chegada, desde agora e para sempre" (Sl 121.5-8).

Não podemos, como mães, deixar de ensinar aos nossos filhos quem é o Senhor, o que ele tem feito e todas as suas maravilhas. Nossos filhos ouvirão e verão o que Deus tem realizado em nós e por nós. A melhor escola, a mais importante universidade e o mais promissor curso de pós-graduação não são o bastante. Tudo isso não vale nada se — e enfatizo o *se* — nossos filhos não tiverem um conhecimento profundo e verdadeiro de quem é o Senhor, se sua vida não estiver rendida aos pés de Jesus.

> Só as mãos do Senhor conseguem estar estendidas sobre os filhos por todo lugar em que eles andarem.

Não devemos concordar com regras ditadas por pessoas que não têm entendimento do Senhor, que valorizam unicamente o *ter* em detrimento do *ser*, que não sabem a importância da direção de Deus em sua vida. A Bíblia, sim, é a nossa única regra de fé e prática, e o que ela nos ensina é o que devemos passar para nossos filhos.

O salmista Asafe escreveu que deveríamos ensinar nosso conhecimento de Deus às próximas gerações (cf. Sl 78.3-4). Cada geração deve transmitir às seguintes as maravilhas do Senhor. Os pais são os mestres que mostrarão aos filhos quanto o Criador é amoroso e perdoador. Essa é uma corrente que não pode ser quebrada, sob pena de o prejuízo ser grande demais. É extremamente importante que os pais transmitam a fé aos filhos e que sejam a primeira fonte de instrução sobre Deus para a criança.

O Senhor levantou as mães com uma missão importantíssima. A função da mãe na família, na criação dos filhos, na oração por eles, não pode ser assumida por substituto nenhum. Nenhuma profissão, por mais dinheiro e *status* que proporcione, pode suplantar o cuidado e a intercessão pelos filhos. Qualquer coisa que interfira nesse processo desagrada a Deus. Afinal, se não for a mãe, quem vai ensinar-lhes? A televisão? A babá? A creche? Os vizinhos? Os coleguinhas da escola? O traficante? Se a mãe não orar pelos filhos, quem o fará? O problema é que ensinar e orar toma tempo, um tempo que cada dia está mais escasso.

Ouço muitas mães dizerem que precisam do dinheiro para o orçamento doméstico, para a poupança da universidade, para as viagens de férias... Enfim, são muitos os motivos para priorizar o trabalho em detrimento da convivência com o filho e do tempo de intercessão por ele. Acredite: passar tempo com seus filhos hoje evitará muito choro amanhã. Ao escrever o salmo 78, o salmista teve o cuidado de pedir a atenção do povo para compartilhar tudo sobre o Senhor com as gerações seguintes e, essas, com as que as sucedessem — e assim por diante.

> Em parábolas abrirei a minha boca, proferirei enigmas do passado; o que ouvimos e aprendemos, o que nossos pais nos contaram. Não os esconderemos dos nossos filhos; contaremos à próxima geração os louváveis feitos do Senhor, o seu poder e as maravilhas que fez. Ele decretou estatutos para Jacó, e em Israel estabeleceu a lei, e ordenou aos nossos antepassados que a ensinassem aos seus filhos, de modo que a geração seguinte a conhecesse, e também os

filhos que ainda nasceriam, e eles, por sua vez, contassem aos seus próprios filhos.

Salmos 78.2-6

Como é importante e necessário ensinar os filhos sobre o Senhor! Como é urgente orar pelos filhos!

Se você busca uma resposta objetiva para a pergunta "Por que precisamos orar por nossos filhos?", eis a razão: porque cremos em Deus, e a oração é a forma mais direta e simples de nos comunicarmos com ele. Porque Deus é Pai e o maior interessado na vida dos nossos filhos. Porque somos mães, e ninguém ora por um filho como uma mãe. Porque entendemos a Palavra quando diz que "a nossa luta não é contra seres humanos, mas contra os poderes e autoridades, contra os dominadores deste mundo de trevas, contra as forças espirituais do mal nas regiões celestiais" (Ef 6.12).

Orar por nossos filhos é uma resposta do nosso coração para o coração de Deus.

Ore comigo

Senhor, ajuda-nos a procurar o caminho da oração por nossos filhos. Não podemos desfalecer diante das lutas e de tantas tragédias da vida, tampouco desanimar diante das aparentes vitórias do Inimigo. Precisamos entender a importância de orar por nossos filhos, herança tua entregue a nós para que cuidemos deles. Neste mundo que jaz no Maligno, é urgente saber que a oração é a nossa arma poderosa contra a investida do mal sobre eles. Abre o nosso coração para que, pela fé, vejamos o invisível, creiamos contra a esperança e saibamos que tu lutas em nosso favor. Enche o nosso coração do teu Espírito Santo e dá-nos discernimento e sabedoria para orar como convém, segundo a tua vontade. Pai, entendemos a urgência do momento em que vivemos. Em nome de Jesus, ajuda-nos a orar!

Oração individual

Ore individualmente, pedindo a Deus ânimo para interceder por seus filhos:

_____
_____
_____
_____
_____

Para reflexão

> Aquele que habita no abrigo do Altíssimo e descansa à sombra do Todo-poderoso pode dizer ao Senhor: "Tu és o meu refúgio e a minha fortaleza, o meu Deus, em quem confio".
>
> Salmos 91.1-2

> Ouve, Senhor, a minha oração, dá ouvidos à minha súplica; responde-me por tua fidelidade e por tua justiça.
>
> Salmos 143.1

> Aquele que teme o Senhor possui uma fortaleza segura, refúgio para os seus filhos.
>
> Provérbios 14.26

Firme nos caminhos do Senhor

Casamos em 1988. Éramos jovens cristãos, já com alguns ministérios sob nossa responsabilidade, inclusive o de sermos uma família pastoral abençoadora, com o sonho de filhos convertidos e comprometidos com a causa do reino de Deus. Em 1990, nasceu nosso primogênito, Lucas. Três anos depois, chegou a caçula, Andressa.

Desde os preparativos para o nosso casamento, com leitura da Bíblia e outros livros, participação em palestras e em cursos, sabíamos de tudo o que é importante em uma família, mas o essencial em nossa vida, e que já praticávamos, era — e é, até hoje — a oração. Com o planejamento da vinda dos frutos do nosso amor, os nossos filhos, a intercessão em favor deles e de nós mesmos, como pais, estava em primeiríssimo lugar.

Sempre tiramos momentos devocionais e organizamos cultos domésticos. Aprendemos a conhecer mais a Palavra e a disciplina da oração na intimidade do nosso lar e daí para fora, dando testemunho, onde estivéssemos, da graça salvadora e redentora em Cristo Jesus, nosso Salvador.

Em 1995, começou no Brasil o movimento Desperta Débora, e logo preenchi a ficha de adesão, por entender o chamado do Senhor para orar em favor de nossos filhos biológicos e também dos espirituais. A caminhada com inúmeras mães de oração em favor de nossos filhos, ao longo dessas décadas, fez e faz toda a diferença. Essa caminhada enriqueceu, ensinou e abençoou muito a nossa vida em família. Lucas entregou seu coração a Jesus aos 6 anos e Andressa, aos 4 anos.

Os desafios para uma constante vida de oração estarão sempre diante de nós. Hoje nossos filhos, já adultos, continuam firmes na Rocha que é Jesus, fazendo a diferença por onde passam. Temos orado ao longo dos anos com eles e sabemos que um dia virão os netos. Os desafios e os sonhos de uma vida de oração só terão fim quando Deus nos chamar deste mundo.

MARLENE VIEIRA
Cuidados Ministeriais Desperta Débora Centro-Oeste

CAPÍTULO 2

ORE BEM
COMO DEVEMOS ORAR?

> Certo dia Jesus estava orando em determinado lugar. Tendo terminado, um dos seus discípulos lhe disse: "Senhor, ensina-nos a orar...".
> LUCAS 11.1

As lições de Jesus aos seus discípulos eram extraordinárias. Tinham uma profundidade ímpar, mas, ao mesmo tempo, eram de fácil compreensão, para alcançar as pessoas mais simples. Ao ver essa simplicidade no Mestre, os discípulos queriam imitá-lo e aprender tudo o que ele tinha para lhes ensinar. Jesus, feliz em transmitir as verdades do evangelho, lhes deu ensinamentos e os treinou, capacitando-os para partir mundo afora a fim de pregar a mensagem de salvação. Não foi diferente quando seus amigos pediram que o Mestre lhes ensinasse a orar. Eles receberam o maior ensinamento sobre oração, o que inclui adoração, respeito, intimidade, simplicidade, fervor, confiança e entrega — permanecendo bem perto do coração do Pai.

A Bíblia nos apresenta as orientações de Jesus sobre a oração: "Ele lhes disse: 'Quando vocês orarem, digam: Pai! Santificado seja o teu nome. Venha o teu Reino. Dá-nos cada dia o nosso pão cotidiano. Perdoa-nos os nossos pecados, pois também perdoamos a todos os que nos devem. E não nos deixes cair em tentação'" (Lc 11.2-4). Diante da pergunta "Como devemos orar?", precisamos sempre nos voltar para a Bíblia, que, do princípio ao fim, nos dá a resposta, junto com grandes lições.

A oração é uma conversa íntima e simples entre um filho e o Pai que está nos céus. É o mover do Espírito que habita em nós e a

> **Diante da pergunta "Como devemos orar?", precisamos sempre nos voltar para a Bíblia.**

aproximação do Filho, Jesus. A oração é uma expressão pessoal do nosso coração, que se achega a Deus pelos canais da alma. O *Aba* de Jesus era o Pai querido, que não se encontrava distante; e esse é o mesmo *Aba* com quem nos relacionamos e a quem nos dirigimos para adorar, engrandecer e pedir-lhe as necessidades de todos os dias. E o fazemos na esperança da revelação bíblica: "Pois assim diz o Alto e Sublime, que vive para sempre, e cujo nome é santo: 'Habito num lugar alto e santo, mas habito também com o contrito e humilde de espírito, para dar novo ânimo ao espírito do humilde e novo alento ao coração do contrito'" (Is 57.15).

Os discípulos clamaram a Jesus que lhes ensinasse a orar e, do mesmo modo, clamamos nós, mães, porque precisamos e desejamos orar bem por nossa vida e pela vida de nossos filhos. Ser uma coluna de oração é o sonho de muitas mulheres. Para algumas, é algo que conseguem de modo fácil e simples; para outras, é um alvo quase inatingível. Que tristeza deve ser querer falar com Deus e não saber como fazê-lo! Seja de uma maneira, seja de outra, o importante é o desejo de aproximar-se de Deus, de se achegar a Jesus e receber o seu Espírito Santo.

Quando participo de grupos de intercessão, fico fascinada ao ouvir orações fervorosas e cheias de amor e de intimidade com Deus. É como se a pessoa que ora estivesse não só em espírito, mas também fisicamente diante do trono do Pai. Fico muito emocionada ao participar desses momentos, que são simples, mas cheios de significado. Creio que são pessoas que buscam na Bíblia ensinamentos sobre oração e estudam sobre o assunto, mas que sabem que só orando aprenderão verdadeiramente o que é essa disciplina. Sempre que falo sobre oração — e falo sempre, pois esse é o tema do meu coração —, ressalto que ninguém aprende a orar a não ser orando, praticando o que Jesus ensinou. É uma ação que leva à excelência, quando todo o coração é derramado.

Ao longo dos anos, desde que me converti, só aumenta a minha certeza do fato de que jamais teremos um relacionamento completo com Deus sem oração. Essa convicção resulta do que tenho vivenciado ao participar de muitos grupos de oração, visitar igrejas por todo o Brasil e atuar, no Desperta Débora, com mães que oram pelos filhos. Para o cristão, é fundamental viver em diálogos sinceros e francos com o Pai, seja no fechar da porta de nosso quarto, seja na unidade do Corpo de Cristo. "Não andem ansiosos por coisa alguma, mas em tudo, pela oração e súplicas, e com ação de graças, apresentem seus pedidos a Deus. E a paz de Deus, que excede todo o entendimento, guardará o coração e a mente de vocês em Cristo Jesus" (Fp 4.6-7).

Ao relacionar-se com os seus, o Pai sinaliza um convite, encoraja-nos e ajuda-nos a orar. Não podemos recusar esse convite tão gentil e amoroso para a comunhão e a participação nos planos do Altíssimo. O Senhor nos chama a nos juntarmos a ele e a entender como se deve orar.

Por toda a vida, muitas situações nos sobrevêm. São episódios que carregam em si tristezas, alegrias, desânimo, frustrações, esperança, pecados e muito mais. No entanto, o Senhor sempre tem a palavra certa para o momento que atravessamos, seja de desertos e vales, seja de montanhas altas e terras verdejantes. Em Cristo, podemos experimentar ânimo renovado e uma nova história porque só ele satisfaz a nossa alma sedenta, só ele pode receber nosso louvor e adoração, só nele temos o melhor para viver.

Um detalhe interessante que tenho observado na prática da oração é que, como somos pessoas únicas, nossa personalidade influencia nossa maneira de orar. Sou alguém que muda de um pensamento para outro muito rapidamente e, por isso, me disperso com facilidade. Quando oro, preciso me policiar para não pensar em duas ou três frentes de oração ao mesmo tempo; caso contrário, acabo me perdendo e fica difícil voltar ao primeiro assunto.

Às vezes, brinco, dizendo que eu deveria ter três cabeças, para que cada uma interceda por um motivo diferente. Como não tenho, busco estratégias que me mantenham atenta ao que preciso falar com o Senhor. Esta sou eu. Nem sempre é assim, claro. Em muitas ocasiões, minha oração é apressada, pelo avançar da hora, e acabo falando com Deus já com a mão na maçaneta da porta. Mas seja na pressa (o que não é bom), seja com mais calma, o importante é orar e fazer da oração uma prática constante em nossa vida.

Quero compartilhar essas estratégias, que muito têm me ajudado na oração. Talvez você não necessite de auxílio para orar, por ser disciplinada, e consiga dobrar os joelhos sem interferências paralelas. Se isso ocorre, ótimo. Mas, se você enfrenta dificuldades para elevar os pensamentos a Deus em oração, espero que o simples esquema que apresento a seguir a ajude a ter momentos de mais intimidade e comunhão com o Senhor. Essencialmente, proponho que se ore com o coração, com intimidade e ousadia, e que as orações incluam momentos de adoração e gratidão, pedidos de perdão e a entrega daqueles que amamos. Também que sejam preventivas, peçam a cura de enfermidades e sejam armas no mundo espiritual em favor daqueles por quem intercedemos.

Oração com o coração

"Sendo assim, aproximemo-nos de Deus com um coração sincero e com plena convicção de fé..." (Hb 10.22). Por que é importante frisar que a oração deve ser feita com o coração? Porque Provérbios nos dá um importante alerta sobre o cuidado que devemos ter com ele: "Acima de tudo, guarde o seu coração, pois dele depende toda a sua vida" (Pv 4.23).

Como precisamos nos aproximar de Deus com um coração sincero, é importante o protegermos de sentimentos e desejos que impeçam essa sinceridade. Deus não aceita o pecado, e a falsidade não funciona com ele. Enquanto não limpamos nosso coração e não confessamos nossos pecados ao Senhor para obter o perdão, a oração fica travada.

Com falsidade no coração, a plena convicção da fé se esvai. Isso é um enorme problema, uma vez que é preciso fé para orar. Se pedirmos ajuda ao Senhor, ele nos fará perceber nossos pensamentos errados, sentimentos ruins e desejos carnais que o desagradam e impedem o fluir de nossas orações.

A oração verdadeira sai de um coração sincero, que, cheio de fé, derrama-se diante daquele que pode todas as coisas. "Louvado seja Deus, que não rejeitou a minha oração nem afastou de mim o seu amor!" (Sl 66.20).

Oração com intimidade

"Clame a mim e eu responderei e lhe direi coisas grandiosas e insondáveis que você não conhece" (Jr 33.3). O profeta Jeremias estava triste devido à assolação que a Babilônia levara a Judá. Mesmo sob o jugo de opositores pagãos, ele não muda sua fala e permanece afirmando quanto Deus é fiel.

Diante do convite do Senhor para invocá-lo, o profeta recebe promessas de esperança e de intimidade. Esse é o padrão de intimidade que Deus estabelece para o homem mediante a oração.

O grande, soberano e eterno Deus quer ser íntimo de nós. Ele deseja compartilhar conosco coisas grandiosas e insondáveis que não conhecemos. O Senhor deseja fazer parte da nossa vida. Ele nos ama tanto que decidiu enviar seu único Filho para que todos os que nele viessem a crer não perecessem, mas tivessem a vida eterna. Isso é amor incondicional. E devemos buscar essa postura e atitude nas orações. De nada adianta qualquer coisa em nossa vida espiritual se não tivermos relacionamento íntimo com Deus.

Oração com ousadia

"Vendo a coragem de Pedro e de João, e percebendo que eram homens comuns e sem instrução, ficaram admirados e reconheceram que eles haviam estado com Jesus" (At 4.13). Nossa oração precisa ter ousadia, coragem. Muitas vezes, ficamos paralisadas por problemas e preocupações, somos afrontadas pelo Inimigo e nos esquecemos de quem está em nós, quem peleja por nós e a quem estamos orando. Precisamos nos fortalecer no Senhor e pedir-lhe que aumente nossa fé, para que oremos corajosamente, com intrepidez, a fim de defender nossas causas, expor nossos motivos e deixar que todos saibam que, assim como Pedro e João, também andamos com Jesus.

> Muitas vezes, ficamos paralisadas por problemas e preocupações, somos afrontadas pelo Inimigo e nos esquecemos de quem está em nós, quem peleja por nós e a quem estamos orando.

Alguns anos atrás, passei por uma experiência extraordinária de saber como Deus honra nossa ousadia e coragem pelas causas que estão em conformidade com sua vontade. Eu era presidente do conselho missionário de nossa igreja, a qual contava com uma missionária que atuava no exterior. Em uma de suas viagens a outro país, essa irmã contraiu uma doença gravíssima, a ponto de perder o bebê que trazia no ventre. Quando tomamos conhecimento do fato, iniciamos contatos com o hospital onde ela estava internada, em um país muito distante do Brasil. Também precisávamos acionar a operadora de seu plano de saúde internacional. Tudo era urgentíssimo e, para complicar, era véspera de Natal, época em que todo mundo está envolvido com atividades em excesso.

Mas não havia jeito: tudo tinha de ser resolvido naquela manhã. Fui à igreja e lá encontrei o dono da livraria local e a esposa de um dos pastores auxiliares. Chamei-os até a sala onde funcionava o conselho missionário e disse-lhes: "Vocês se lembram da passagem de Atos dos Apóstolos em que os discípulos de Cristo falavam e as pessoas entendiam na própria língua? Pois bem, precisamos de um milagre desses agora. Vocês vão orar ao Senhor, e eu vou ligar para a seguradora em Londres. É véspera de Natal, mas é preciso que eles ainda estejam lá. Segundo, vou falar um inglês técnico, específico; eles precisam entender o que vou dizer e eu preciso entender o que eles vão dizer para resolvermos a situação. Precisamos tirá-la com urgência do país onde está e levá-la para um centro maior".

Eles apenas balançaram a cabeça, afirmativamente, mas tenho certeza de que, no coração, já estavam plenos do Espírito e prontos para a batalha. Eu liguei. O telefone chamou diversas vezes, sem que ninguém atendesse. Comecei a gelar. Até que alguém atendeu no inglês mais formal que eu já havia escutado na vida. Apresentei-me, expliquei o motivo do telefonema e a conversa fluiu de ambos os lados. O milagre estava acontecendo.

O resultado daquela oração feita com ousadia foi este: conseguimos confirmar a retirada da missionária do hospital e o traslado para outra cidade. Para que não tivéssemos dúvida de que Deus estava à frente de tudo, o senhor que falava comigo me pediu desculpas pela demora em atender, explicando que já estava de saída e que o escritório só abriria novamente após o ano-novo. No entanto, como o telefone tocou demais, ele decidiu voltar e atender. Os dois guerreiros de oração ao meu lado não entendiam uma palavra, mas oravam, ousadamente, corajosamente, confiando no Deus que era, é e para sempre será o mesmo.

A oração da adoração

"Sê exaltado, ó Deus, acima dos céus! Sobre toda a terra esteja a tua glória!" (Sl 57.5). Como é bom adorar a Deus! Que maravilha é quando dedicamos momentos para falar com o Pai, adorando seu nome e tudo o que ele é!

Toda a nossa vida tem de ser um cântico de adoração ao Senhor. Mas é quando abrimos nossos lábios e adoramos ao Altíssimo com palavras que saem do profundo do nosso coração que experimentamos uma indescritível sensação de leveza, graça e alegria. Sentimos que podemos ser transportadas para diante do trono de Deus, a fim de nos juntarmos ao coro de vozes que dizem "Santo, tu és Santo!".

Jesus afirmou que Deus sempre quis do homem uma atitude de adoração voluntária e sincera. Os verdadeiros adoradores o adoram em espírito e em verdade. Por isso, os que hoje se levantam como adoradores, aqueles que desejam adorar ao Senhor da maneira correta, devem, antes, entender o verdadeiro significado da adoração. O principal dos mandamentos fala em "amar a Deus sobre todas as coisas", o que inclui adorá-lo pelo que ele é: "No entanto, está chegando a hora, e de fato já chegou, em que os verdadeiros adoradores adorarão o Pai em espírito e em verdade. São estes os adoradores que o Pai procura" (Jo 4.23).

Quando adoramos ao Senhor em oração, ultrapassamos nossa limitada visão humana para entender a grandeza de Deus e sua soberania. Com isso, temos a liberdade de poder chamá-lo de Altíssimo. Nossa adoração se manifesta em palavras e cânticos, mas, também, por meio de nossa vida e de um coração que transborda de amor.

Oração de gratidão

"Entrem por suas portas com ações de graças, e em seus átrios, com louvor; deem-lhe graças e bendigam o seu nome" (Sl 100.4). Como é maravilhoso encontrar pessoas gratas! Mas, apesar de a gratidão ser um sentimento e, ao mesmo tempo, uma ação tão importante, muitas vezes percebemos que deixamos de agradecer a quem nos faz o bem.

Com Deus não é diferente. Muitas e muitas vezes, nós nos esquecemos de lhe agradecer pelas coisas simples e pelas grandes com que nos presenteia a cada dia. Esquecemo-nos de manifestar gratidão pelos dias que ele nos concede, por suas demonstrações de cuidado e amor, pelo sol e pela chuva, pelo frio e pelo calor... Tudo é motivo para agradecer diariamente ao Senhor. O amanhã será outro dia, e vamos agradecer de novo — o que importa é agradecer *hoje*.

Mães que oram pelos filhos já têm, de cara, um excelente motivo para que seu coração seja grato a Deus: a fidelidade demonstrada pelo Senhor ao lhes dar uma herança para cuidar. Que responsabilidade! Sejam os filhos bonitos ou feiozinhos; obedientes ou rebeldes; amorosos ou ariscos; do ventre, do coração ou espirituais; de perto ou de longe; não importa: todos são motivo de gratidão a Deus.

Por tudo o que Deus nos dá, e também pelo que ele — sabiamente e com amor — não nos concede, precisamos sempre fazer de nossa oração um momento de gratidão ao Senhor.

Oração de perdão

"Tem misericórdia de mim, ó Deus, por teu amor; por tua grande compaixão apaga as minhas transgressões. Lava-me de toda a minha culpa e purifica-me do meu pecado. Pois eu mesmo reconheço as minhas transgressões, e o meu pecado sempre me persegue" (Sl 51.1-3). O instante em que, em oração, pedimos perdão por nossos pecados é ímpar diante de Deus. É hora de olhar para a cruz e saber que o sangue de Jesus nos purifica, nos lava e nos leva direto ao coração do Pai.

Jesus tomou para si nossos pecados e nossas dívidas. Quando nos achegamos aos pés da cruz, recebemos o perdão pelo fato de o Cordeiro de Deus já ter pago o preço dos nossos erros. "Mas ele foi transpassado por causa das nossas transgressões, foi esmagado por causa de nossas iniquidades; o castigo que nos trouxe paz estava sobre ele, e pelas suas feridas fomos curados" (Is 53.5). Postos debaixo do poder do sangue de Cristo pela graça de Deus, podemos confiar que a bênção do perdão será derramada sobre nosso coração contrito e arrependido.

O escritor e teólogo Maurício Zágari diz, no livro *Perdão total: Um livro para quem não se perdoa e para quem não consegue perdoar*:

> O arrependimento seguido de confissão elimina, destrói, apaga, faz desaparecer, desmaterializa, perdoa a dívida, cancela o erro, passa uma borracha na desobediência cometida contra Deus. O Pai se esquece. O Filho se esquece. O Espírito Santo se esquece. O arquivo com o mal praticado é jogado na lixeira — ou, em linguagem bíblica, nas profundezas do mar. Não há condenação. "INOCENTE", proclama-se no céu a favor do pecador arrependido. Inocente... pelo sangue de Cristo. E que siga em paz.[1]

[1] São Paulo: Mundo Cristão, 2014. p. 125.

Essa é, precisamente, a proposta bíblica. Peçamos perdão dos pecados a cada oração. E sigamos em paz.

Oração de entrega

"Mas, se fosse comigo, eu apelaria para Deus; apresentaria a ele a minha causa. Ele realiza maravilhas insondáveis, milagres que não se pode contar" (Jó 5.8-9). O primeiro passo para uma oração de entrega eficaz é conhecer a Deus com uma intimidade tal que tenhamos confiança de entregar-lhe qualquer causa, mesmo que seja relacionada a nossos filhos.

Tomo como exemplo a entrega dos filhos porque não existe nada mais difícil para uma mãe do que fazer isso e descansar. Ouso até dizer que, fora o Senhor, ninguém mais ocupa esse lugar privilegiado no coração de uma mãe. Podemos entregar os filhos aos nossos pais, avós, tios, amigos e outras pessoas, mas o coração não sossega, não descansa.

Nunca é tarde demais para refletir sobre essa relação de entrega a Deus, com tranquilidade, e saber em que grau de maturidade espiritual você se encontra. Será que, ao entregar a vida ou as questões de alguém ao Senhor, você confia e entra em estado de total descanso ou, como diz o ditado, comporta-se com "um olho lá e outro cá"?

Lembre-se: com Deus não há meio-termo: ou se confia e descansa ou não se confia. Não podemos orar por nossos filhos sem entregá-los ao Senhor, na certeza de que Deus cuida deles.

Oração preventiva

"O prudente percebe o perigo e busca refúgio; o inexperiente segue adiante e sofre as consequências" (Pv 22.3). Todos somos assolados por preocupações diárias. Temos tanto com o que lidar hoje, que pode parecer que orar pelo amanhã traz uma sobrecarga desnecessária ao coração. Se o tempo é curto para oramos a cada dia, imagine se formos acrescentar petições sobre o que ainda nem chegou. Por isso, postergamos orações.

Essa, no entanto, não é uma atitude das mais sábias. Há questões que podemos acrescentar às orações sem que isso tome um tempo maior ou se torne um fardo. Podemos fazer planos com Deus, sim, e devemos fazê-lo. Um tema que nunca pode faltar em nossos diálogos com o Senhor é o futuro dos filhos e — por que não? — dos netos. Devemos conversar com o Senhor sobre a escola em que estudarão, a universidade, os amigos, o cônjuge... Nada do que tenha a ver com o futuro de quem amamos é desimportante: devemos pôr tudo diante do altar de Deus.

> Um tema que nunca pode faltar em nossos diálogos com o Senhor é o futuro dos filhos.

Lembro-me de quando minha neta mais velha, Malu, se preparou para entrar na universidade. Conversei com minha filha sobre orarmos pelas amizades que ela encontraria pela frente. Pedimos ao Senhor um cuidado especial para que aqueles que se aproximassem dela fossem "meninos e meninas de Jesus". Nós oramos, e minha neta foi, toda feliz, dedicar-se ao curso de psicologia.

Um ano e meio depois, eu estava em uma igreja e ouvi uma voz bem doce dizer: "Vovó Nina!". Virei-me, tentando imaginar quem ali poderia estar me chamando de *vovó*, e vi uma mocinha linda, sorrindo, que se aproximou e me abraçou. Ela disse que estudava com minha neta na universidade e que Malu era sua melhor amiga. Que Deus fiel! Depois, quando relatei o encontro à minha neta, ela me disse que essa sua amiga era uma "menina de Jesus"! Palavras dela, iguaizinhas às de nossas orações.

Hoje, quando oro pelo futuro de meus netos, também intercedo pelos cônjuges que Deus porá ao lado deles para formar uma família e peço que sejam servos do Senhor.

Oração por cura

"E estava ali certa mulher que havia doze anos vinha sofrendo de hemorragia e gastara tudo o que tinha com os médicos; mas ninguém pudera curá-la. Ela chegou por trás dele, tocou na borda de seu manto, e imediatamente cessou sua hemorragia" (Lc 8.43-44). Gosto muito da história dessa mulher, talvez por sua coragem e fé.

Ela era uma mulher que, havia muitos anos, sofria de uma enfermidade grave. Como tinha posses, procurou todos os médicos e tratamentos possíveis para ser curada, mas nada funcionou. Investiu tanto que chegou a gastar tudo o que tinha nessa busca. Sabemos bem o tamanho do gasto quando alguém cai doente com uma enfermidade prolongada; não é fácil.

Afinal, quando todos os esforços já se mostravam em vão, ela encontra um médico. E era um médico muito diferente dos demais que havia procurado. O homem estava no meio de muita gente, e era difícil chegar até ele. Mas a mulher não se intimidou, pois acreditava firmemente que ali estava a sua cura. Rompendo todas as barreiras humanas, ela simplesmente o tocou.

Aquela senhora é conhecida como "a mulher do fluxo de sangue". Mateus, Marcos e Lucas contam sua história. A busca pela cura tinha tudo para dar errado mais uma vez, pois ela era considerada impura, e ninguém podia tocá-la — logo, a natureza de sua enfermidade a impedia de ficar exposta publicamente. Provavelmente, essa mulher misturou-se à multidão na esperança de que ninguém a visse e, assim, ela pudesse tocar em Jesus. Então, mediante sua fé, ela tocou no Mestre e, como esperava, foi curada!

A história dessa mulher — e de tantas outras pessoas na Bíblia que encontraram a cura de seus males físicos em Deus — abre o nosso entendimento para que oremos em busca de Jesus, o médico dos médicos.

Oração de batalha espiritual

"Vistam toda a armadura de Deus, para poderem ficar firmes contra as ciladas do Diabo" (Ef 6.11). Satanás é um estrategista. Ele está sempre planejando, maquinando ataques contra a humanidade, para impedir que as criaturas glorifiquem o Criador. Este é o seu objetivo principal: impedir que Deus seja glorificado, pois quer a glória para si. A Bíblia revela seu coração: "Subirei mais alto que as mais altas nuvens; serei como o Altíssimo" (Is 14.14).

Por carregar em si esse desejo maligno, Satanás faz de tudo para impedir que nossa vida glorifique a Deus. Quando a graça do Senhor nos alcança e entregamos a vida a Jesus, nossa luta passa a ser para vivermos de forma santa. Passamos, então, a enfrentar um adversário astuto, inteligente e cruel, o ser mais maldoso que já houve ou haverá no universo. Toda precaução é pouca.

A oração é fundamental na batalha espiritual, e precisamos saber quem é o Inimigo, para que possamos enfrentá-lo com eficiência. Quem é louco de enfrentar um bicho feroz sem entender o perigo que ele representa, sem respeitar esse risco e sem saber como dominá-lo? A Bíblia esclarece o que precisamos saber a respeito de batalha espiritual. Ninguém pode alegar desconhecimento por falta de informações precisas e equilibradas nessa área.

> Satanás faz de tudo para impedir que nossa vida glorifique a Deus.

"Estejam alertas e vigiem. O Diabo, o inimigo de vocês, anda ao redor como leão, rugindo e procurando a quem possa devorar" (1Pe 5.8). O Diabo é expressamente apontado como nosso inimigo. Note que Pedro dá esse alerta especificamente a cristãos. Temos de estar sempre atentos e vigilantes porque Satanás ronda à espera de um vacilo nosso. A Bíblia dá muitas informações acerca de Satanás e seus demônios. Jesus ensinou claramente a seu respeito. O Inimigo existe e exerce influência sobre este mundo. Precisamos ter cuidado e estar informados sobre como lidar com as forças espirituais da maldade.

* * *

Compartilhei essas orientações apenas como uma sugestão, para que você consiga orar de forma bíblica e sem se dispersar. Lembre-se, porém, de que cada um precisa procurar sua maneira pessoal de se relacionar melhor com Deus. Não deixe de orar, mesmo que no momento não saiba como fazê-lo. Creio firmemente que, ao voltar seu coração para Jesus, ele vai ensinar a você como encontrá-lo em meio às orações.

Ore comigo

Pai, ensina-nos a orar. Queremos estar integralmente em tua presença, sinceras, de todo o nosso coração. Exaltamos e bendizemos o teu santo nome. Bendito sejas sobre toda a terra! Pedimos perdão por nossos pecados. Sonda-nos e purifica-nos. Precisamos entender como entregar a ti as nossas preocupações e como sermos constantemente agradecidas. Capacita-nos para enfrentar as batalhas contra os inimigos. Nosso prazer está em servir-te, amar-te e chamar-te de Pai nosso. Em nome de Jesus, peço-te: ensina-nos a orar! Amém.

Oração individual

Ore individualmente, perguntando a Deus como você deve orar especificamente por seus filhos:

_____
_____
_____
_____
_____

Para reflexão

Por que você está assim tão triste, ó minha alma? Por que está assim tão perturbada dentro de mim? Ponha a sua esperança em Deus! Pois ainda o louvarei; ele é o meu Salvador e o meu Deus.

SALMOS 42.11

Para onde poderia eu escapar do teu Espírito? Para onde poderia fugir da tua presença? Se eu subir aos céus, lá estás; se eu fizer a minha cama na sepultura, também lá estás.

Salmos 139.7-8

Será que você não sabe? Nunca ouviu falar? O Senhor é o Deus eterno, o Criador de toda a terra. Ele não se cansa nem fica exausto; sua sabedoria é insondável. Ele fortalece o cansado e dá grande vigor ao que está sem forças. Até os jovens se cansam e ficam exaustos, e os moços tropeçam e caem; mas aqueles que esperam no Senhor renovam as suas forças. Voam alto como águias; correm e não ficam exaustos, andam e não se cansam.

Isaías 40.28-31

Fé e perseverança

Não é fácil passar pelo deserto. A vida perde um pouco do colorido, e a alma se abate. Casei muito jovem e lutei de todas as formas para que meu casamento desse certo. Tive dois filhos, mas, em uma relação conjugal, não basta uma pessoa só querer que dê certo; os dois precisam ter esse desejo. No meu caso, lutei sozinha, debaixo de muito sofrimento e humilhações, até que, na iminência de acontecer um mal irremediável, eu me vi obrigada a sair de casa e deixar meus filhos com meus sogros, porque, naquele momento, não tinha como sustentá-los. Foi muito difícil. Não sei como consegui, mas não havia alternativa. Minha única certeza era que Deus estava no controle e eu precisava desse tempo para que ele pusesse tudo no lugar e nos honrasse.

Foi uma luta sobreviver com o coração em outro lugar. Sofri pela ausência de meus filhos; sobrevivi de coração partido. Como meus filhos ainda eram pequenos, ficou difícil para eles entender os motivos pelos quais eu não podia estar perto, as razões de eu ter saído de casa. Na idade deles, não tinham como entender todo aquele meu sofrimento e os riscos que eu corria ficando em casa. Minha ausência fez brotar em meus filhos tristeza e mágoa, principalmente na minha filha, a mais velha dos dois. Quebrava-me o coração quando, nas muitas tentativas de me aproximar deles, ela me rejeitava e, como exercia forte influência sobre o irmão menor, também o impedia de se achegar.

Muitas vezes, saí de eventos na escola chorando e completamente perdida. Sem casa, sem uma mãe nem um pai que pudesse me acolher e ajudar, eu me vi nas mãos do Senhor. Assim, fui vivendo meus dias, só orando e chorando, confiando que Deus restauraria minha vida e o relacionamento com meus filhos. Nunca houve um dia sequer em que eu não orasse por isso.

Hoje, anos depois, minha vida emocional está sendo trabalhada lentamente pelo Senhor, e, dia após dia, vejo o agir de Deus na minha relação com meus amados filhos. É maravilhoso poder postar nas redes sociais fotos abraçada a meus filhos e chegar com uma lasanha de frango, feita por mim, para eles almoçarem. Agradeço a Deus pelo fato de a avó deles ter se sentado comigo e conversado sobre as crianças. Parece tão pouco aos olhos de muitos, mas só eu sei quanto meu Deus é fiel e quanto ele mostra seus sinais de restauração e conserto.

A situação ainda está muito longe do ideal, mas sei que aquilo que o Senhor começou a restaurar ele vai completar. Eu já agradeço a Deus, ainda que a obra não esteja terminada. Agradeço a ele por tudo o que já fez, porque ele é quem me dá forças para esperar, em meio ao deserto, a minha bênção completa, a qual pela fé creio que vai chegar.

FLOR NOVAIS
Equipe do Desperta Débora Nordeste, João Pessoa (PB)

CAPÍTULO 3

PERIGO À VISTA
QUAIS SÃO AS MAIORES AMEAÇAS À VIDA ESPIRITUAL DOS FILHOS?

> Estejam alertas e vigiem. O Diabo, o inimigo de vocês, anda ao redor como leão, rugindo e procurando a quem possa devorar. Resistam-lhe, permanecendo firmes na fé...
>
> 1PEDRO 5.8-9

Nossos filhos vivem sob constante ameaça. Não importa se são crianças, jovens ou adultos, seu dia a dia é uma luta constante no plano espiritual. Isso tem de receber nossa atenção diária. Como pais, precisamos estar vigilantes, e a espiritualidade de nossos filhos deve ser alvo de nossas orações, tanto ou mais do que áreas como estudo, amizades, lugares que frequentam, futuro profissional e outros aspectos de sua vida. Fato é que eles são bombardeados por todos os lados para que se afastem dos caminhos do Senhor ou que nem mesmo venham a render-se ao senhorio do Salvador. Essas ameaças levaram o apóstolo Pedro a escrever o aviso: "Estejam alertas e vigiem".

Quando um exército entra em guerra, uma das primeiras ações que precisa realizar para ser bem-sucedido é buscar conhecer ao máximo o inimigo, com seus pontos fortes e fracos. Do mesmo modo, temos de estar bem informados: quais são as forças do mal que ameaçam a vida espiritual dos nossos filhos? Como podemos orar e ensinar os pequenos a se proteger dos perigos que os cercam? Como vencer essas ameaças?

Jesus, o nosso Mestre, preparou seus discípulos cuidadosamente para enfrentar os ataques espirituais. Ele sabia que aqueles homens teriam pouco tempo de preparo para uma missão gigantesca, ainda por cima sob a mira de um opositor considerável. Eles não poderiam vacilar. Por isso, o Senhor os advertiu: "Eu os estou enviando como ovelhas entre lobos. Portanto, sejam astutos como as serpentes e sem malícia como as pombas" (Mt 10.16). Como vivemos em uma guerra constante das forças do bem contra as do mal, e sabendo que Satanás é o "príncipe deste mundo" (Jo 16.11), não devemos nem podemos subestimar o Inimigo.

Sempre menciono, em conversas e palestras, que aqueles que desejam viver com Cristo lutam em duas frentes de batalha. Uma é o nosso dia a dia: família, trabalho, amigos e outros aspectos do cotidiano. É o plano visível. A outra frente é a espiritual, o plano invisível. Em ambas, travamos grandes combates. Um complicador é que as duas frentes se entrelaçam e não podemos vacilar em nenhuma das duas sem que haja consequências sérias na outra. Por isso, precisamos pedir a Deus discernimento e sabedoria para entender tanto o visível quanto o invisível. Não podemos pensar que há mal em tudo, tampouco que o mal não está em lugar nenhum. Desde a queda, no Éden, o mal se instalou no coração do homem, o que nos tornou falhos e pecadores.

Todos enfrentaremos forças de imensas proporções e não podemos entrar de qualquer jeito em uma luta dessa magnitude. Vivemos em guerra, e o Inimigo não dá descanso. Ele está sempre alerta, à espera de uma oportunidade para nos derrubar e também aos nossos filhos. Nossa responsabilidade é nos preparar e empunhar nossas armas. Devemos, ainda, ensinar os filhos a se municiar, porque o Diabo não está para brincadeira. Seus jogos nunca são amistosos; ele entra em campo sempre com a disposição de quem está em uma final de campeonato — e quer vencer. Precisamos ensinar-lhes o que Tiago escreveu: "Portanto, submetam-se a Deus. Resistam ao Diabo, e ele fugirá de vocês" (Tg 4.7). As maiores armas que podemos entregar aos nossos filhos para que lutem contra essas ameaças espirituais são o conhecimento de Deus e a submissão à vontade divina. Isso deve ser feito considerando sempre que "Deus se opõe aos orgulhosos, mas concede graça aos humildes" (Tg 4.6) e que um coração quebrantado e contrito o Senhor não rejeita (cf. Sl 51.17). Só quando compreendermos nossa fraqueza é que entenderemos nossa necessidade de ser salvos e cuidados por Jesus, sempre em dependência dele.

A ameaça do pecado

O pecado é o que mais nos afasta de Deus. Foi assim no Éden, será assim até a segunda vinda de Cristo. O pecado ameaça a vida espiritual de nossos filhos a cada segundo, em especial na sociedade em que vivemos, que relativiza a transgressão contra Deus. Somos obrigadas a lidar com argumentos como "Mas todo mundo faz!" e precisamos saber mostrar que um seguidor de Cristo não faz o que todo mundo faz. Quem quer viver uma verdadeira vida cristã precisa entender e absorver essa posição e andar na contramão da opinião do mundo. "Vejam! O braço do Senhor não está tão encolhido que não possa salvar, e o seu ouvido tão surdo que não possa ouvir. Mas as suas maldades separaram vocês do seu Deus; os seus pecados esconderam de vocês o rosto dele, e por isso ele não os ouvirá" (Is 59.1-2). Que ameaça forte para a vida espiritual dos filhos é o pecado!

A vida é um campo de batalha para os que querem permanecer firmes na fé. Imagine quando baixamos a guarda e abrimos brechas em nossa muralha de proteção. Se fizermos isso, o inimigo de nossa alma entra e é capaz de abalar nosso alicerce. O pecado é um instrumento de ruptura dessa muralha, e os filhos precisam saber disso. Eles devem ter ciência de que o Diabo está ao redor e ameaça, mas a responsabilidade moral e individual pelo pecado é de cada um.

Um exemplo frequente na vida dos filhos é a quebra do mandamento que nos proíbe desonrar pai e mãe. "Filhos, obedeçam a seus pais no Senhor, pois isso é justo. 'Honra teu pai e tua mãe' — este é o primeiro mandamento com promessa — 'para que tudo te corra bem e tenhas longa vida sobre a terra'. Pais, não irritem seus filhos; antes criem-nos segundo a instrução e o conselho do Senhor" (Ef 6.1-4). Cada um faz a sua parte; logo, cada membro da família é responsável por seu pecado, caso desobedeça ao que determina a Palavra do Senhor.

Não é fácil! Precisamos desesperadamente que o Senhor esteja ao nosso lado. Na luta contra as ameaças espirituais que cercam nossos filhos, nós e eles precisamos ter certeza de um detalhe de suma importância: estamos do lado vencedor e devemos fazer de tudo para permanecer nele. Não podemos negociar essa posição por nenhum valor deste mundo: "Filhinhos, vocês são de Deus e os venceram, porque aquele que está em vocês é maior do que aquele que está no mundo" (1Jo 4.4).

Fazer parte do Corpo de Cristo é estar alistado em um exército poderoso, grande, com quartéis espalhados por toda a terra. As forças do mal militam, dia e noite, para nos derrubar, mas, se seguirmos o Senhor dos Exércitos, a vitória é certa, pois o Todo-poderoso luta por nós.

> Ele disse: "Escutem, todos os que vivem em Judá e em Jerusalém e o rei Josafá! Assim lhes diz o Senhor: 'Não tenham medo nem fiquem desanimados por causa desse exército enorme. Pois a batalha não é de vocês, mas de Deus. Amanhã, desçam contra eles. Eis que virão pela subida de Ziz, e vocês os encontrarão no fim do vale, em frente do deserto de Jeruel. Vocês não precisarão lutar nessa batalha. Tomem suas posições, permaneçam firmes e vejam o livramento que o Senhor lhes dará, ó Judá, ó Jerusalém. Não tenham medo nem desanimem. Saiam para enfrentá-los amanhã, e o Senhor estará com vocês'".
>
> 2Crônicas 20.15-17

O Senhor está sempre conosco. O exército inimigo é grande, as ameaças vêm por todos os lados, mas a batalha é de Deus. Precisamos tomar posição e permanecer firmes e confiantes, pois, como o Senhor é o mesmo ontem, hoje e para sempre, ele luta em favor dos seus.

O papel dos pais — e aqui falo especialmente para as mães — é fundamental para que os filhos aprendam a trilhar o caminho certo e não se afastem da verdade. O caminho do Senhor é o único que tem uma luz no fim do túnel, que os pode fazer atravessar os desertos e vales desta vida e obter vitória. E o que é mais importante: Jesus é o único caminho que pode levá-los à vida eterna com Deus. Não podemos cogitar a possibilidade de uma abertura assim, enorme, delegando a outras pessoas o papel que a nós, pais, foi dado por Deus. Essa brecha é uma passagem escancarada para que o Maligno entre e faça grandes estragos na família, no lar e na vida dos filhos.

No livro *Mães que mudaram o mundo*,[1] li sobre mulheres que tiveram forte influência na vida de seus filhos. Alberta Williams King, mãe do pastor e ativista americano Martin Luther King Jr., foi uma incentivadora do filho na luta contra a desigualdade racial. Eles viviam em Atlanta, no sul dos Estados Unidos, onde a segregação era muito forte. Alberta, no entanto, sempre lutou para que o filho não se sentisse inferior e para incutir a Palavra de Deus em seu coração. Mais tarde, já cursando o Seminário Teológico Crozer, King escreveu em um ensaio: "É muito mais fácil para mim pensar em um Deus de amor porque eu cresci em uma família em que o amor era central, e os relacionamentos marcados pelo amor estavam sempre presentes". Questionada por um jornalista sobre como tinha conseguido ser tão bem-sucedida em educar Martin, Alberta respondeu: "Eu lhe dei raízes e asas". Martin Luther King Jr. ganhou o Prêmio Nobel da Paz e tornou-se mártir por uma causa justa e nobre.

Outra mãe, Cornelia Luitingh ten Boom, ensinou seus quatro filhos a tratar as pessoas com compaixão. Ela era uma mulher cheia de fé, gentil e compassiva. Após sua morte, ocorrida em 1921, sobreveio a 2ª Guerra Mundial e todos da família Boom foram levados para um campo de concentração nazista por terem ajudado judeus. O marido de Cornelia, Casper, morreu depois de dez dias na prisão. Sua primogênita, Elisabeth, faleceu no mesmo ano. Com o fim da guerra, a caçula, Corrie, tornou-se missionária e passou a viajar por todo o mundo

[1] Billy GRAHAM, et al. Rio de Janeiro: Habacuc, 2005.

contando sua história e ministrando o amor, a compaixão e o perdão de Cristo até para seus inimigos. Cornelia não somente deu a Corrie as ferramentas para sobreviver em um campo de concentração nazista, mas o trabalho de sua vida: ensinar o amor e a misericórdia de Jesus.

Essas duas mães, Alberta e Cornelia, entraram para a história porque lutaram para fazer a diferença na vida dos filhos. Inspirada por testemunhos como esses, eu me pergunto: que ferramentas entregamos aos nossos filhos para que sobrevivam às ameaças contra sua vida espiritual no mundo de hoje? De que tipo são as raízes que lhes damos para que tenham asas fortes e possam voar?

A ameaça das instituições de ensino

Além das forças espirituais da maldade e do pecado, que militam contra a fé dos nossos filhos, existem outras ameaças que devemos considerar, para que estejamos alertas ao fogo cerrado de sua influência. Escolas e universidades, por exemplo, são locais onde há abertura para relacionamentos e ensinamentos que levam muitos adolescentes e jovens para longe dos caminhos do Senhor, mesmo os nascidos e criados na igreja.

Ao ingressar nessas instituições, nossos filhos passam a maior parte de seus dias ali, onde estão expostos às mais variadas influências, que podem abalar sua fé. Qual seria a solução? Tirá-los da escola e proibi-los de irem à universidade? Claro que não! Todos precisam de estudo, aprendizado e conhecimento para enfrentar o mundo e seus valores equivocados. Ninguém pode criar filhos longe do mundo, em uma redoma, separados de tudo e todos. Não existe a menininha Rapunzel, isolada em uma torre; a vida real é bem diferente. Os filhos vão à escola, depois à universidade, por fim ao mercado de trabalho, e não podemos impedí-los. Mas podemos, sim, ensinar-lhes o caminho em que devem andar.

Hoje, as crianças vão mais cedo à escola. Encontrei uma conhecida com o bebê de 2 anos nos braços e ele já usava uniforme escolar! Aquilo me deu um nó no coração, pela mãe e pelo bebê. Que tempo precioso de convivência ambos estavam prestes a perder! Que momentos maravilhosos de ensinamentos deixariam de ter juntos! Outras pessoas é que seriam os mestres daquela criança. Que pena! Nas universidades, a história não é diferente. Adolescentes — muitos dos quais imaturos — entram por suas portas sem o menor preparo para o que encontrarão por lá.

Não sou contra os filhos estudarem, de maneira nenhuma. Não quero fazer guerra contra as instituições de ensino. Meus filhos foram à universidade e sempre os incentivei quanto ao curso que escolheram. Como relatei anteriormente, depois que eles ficaram maiores, eu mesma parti em busca da minha graduação, para me tornar bacharel em direito. Estudei junto com amigos dos meus filhos. Foi uma experiência bem interessante.

> Os filhos vão à escola, depois à universidade, por fim ao mercado de trabalho, e não podemos impedi-los. Mas podemos, sim, ensinar-lhes o caminho em que devem andar.

E ainda fiz mais: anos depois, cursei o seminário teológico e me tornei bacharel em teologia. Gosto muito de estudar e incentivo quem quer aprender.

O que desejo é chamar atenção para a situação de escolas e universidades, onde nossos filhos passam muitas horas por dia. Esta é a minha preocupação (e deveria ser a de todos os pais, pois sabemos o que acontece nesses locais): embora haja a parte boa — aprendizado, convivência e bons relacionamentos —, também há aspectos negativos. É comum as "amizades" feitas nesses lugares acabarem afastando os jovens de Deus, além do fato de eles estarem sob influência de professores com opiniões discordantes do evangelho. Drogas ilícitas estão disponíveis com cada vez mais facilidade. Até mesmo o consumo desenfreado de drogas legalizadas, como o álcool, corre solto nessas instituições. Isso só para citar algumas das muitas ameaças à vida espiritual que cercam nossos filhos nesses locais. Por tudo isso, devemos estar de prontidão, atentas e vigiando bem de perto. Não podemos estar lá, mas nossas orações e os ensinamentos da Palavra que lhes transmitimos podem.

A missão Mocidade para Cristo (MPC) do Brasil, onde trabalho, tem um projeto chamado Escola da Vida. É uma iniciativa espetacular, voltada à escola fundamental, que aborda, entre outros aspectos, temas identificados com os maiores problemas atuais para o jovem estudante. Ao longo de uma semana de atuação na escola, são desenvolvidas cinco atividades principais: palestras, lanche para professores, concurso de redação, evento cultural e reunião com pais. O concurso de redação, por exemplo, é divulgado uma semana antes, ou no começo da semana, para todos os alunos interessados. A participação não é obrigatória e o tema da redação geralmente é *Carta para Deus* ou outro assunto definido pela equipe da MPC. Essa equipe se encarrega de ler, responder e premiar as melhores redações ao final da semana. A leitura de muitos desses textos tem feito chorar de tristeza aqueles que trabalham na seleção dos trabalhos. Os adolescentes abrem o coração e expõem situações que vivenciam no dia a dia, suas carências, os problemas pessoais e familiares. E o que mais nos salta aos olhos: muitos sentem falta de Deus.

Podemos ouvir o grito de socorro que vem das escolas e universidades. E é ali que nossos filhos, netos, sobrinhos e filhos de amigos estão. Essas instituições são grandes campos missionários; por isso, precisamos orar e pedir ao Senhor que envie trabalhadores comprometidos com a causa do reino: "E lhes disse: 'A colheita é grande, mas os trabalhadores são poucos. Portanto, peçam ao Senhor da colheita que mande trabalhadores para a sua colheita'" (Lc 10.2).

Um episódio, em especial, me marcou. Depois de uma semana de Escola da Vida em um colégio em Campina Grande (PB), a equipe recebeu o seguinte recado da diretora: "Diga a todos da MPC que, desde o dia em que estiveram aqui, a escola não é mais a mesma. Os alunos estão diferentes, mais calmos. Sei que a presença deles transformou esta escola". Tem sido assim nos locais onde ocorre a Escola da Vida, e sabemos que a glória não é dos obreiros da MPC, mas do Deus a quem eles servem. Por essa e outras evidentes mudanças, muitos diretores e professores de escola pedem, cada dia com mais frequência, que o Escola da Vida vá até a instituição em que trabalham, porque a necessidade é grande e eles não dão conta do que acontece ali dentro. Ao pensar nisso, devemos lembrar sempre: "As armas com as quais lutamos não são humanas; ao contrário, são poderosas em Deus para destruir fortalezas. Destruímos argumentos e toda pretensão que se levanta contra o conhecimento de Deus, e levamos cativo todo pensamento, para torná-lo obediente a Cristo" (2Co 10.4-5).

A ameaça da Internet

Nos dias atuais, a Internet é outra ameaça muito forte à vida espiritual de nossos filhos. Entenda que a Internet, em si, não é um instrumento do mal; pelo contrário, devemos louvar a Deus todos os dias por ter concedido inteligência ao homem para criar uma ferramenta tão maravilhosa e que tanto nos ajuda. Todavia, há armadilhas e perigos graves no ambiente virtual.

Controlar a Internet é praticamente impossível. Por meio dos incontáveis *sites*, as pessoas podem procurar qualquer tipo de informação, em qualquer lugar do mundo, a qualquer hora. Além disso, com bilhões de usuários ao redor do planeta, todos têm a capacidade e as ferramentas para publicar o que quiserem. Em países como o Brasil, em que praticamente não há controle sobre o que circula no ciberespaço, a facilidade de recebermos qualquer tipo de informação por meio de um simples clique assusta.

Se por um lado a liberdade de expressão é um aspecto positivo, por outro facilita a exposição a muita coisa ruim, como violência, pornografia, imoralidades, artigos que incentivam a descrença em Deus, proselitismo de religiões anticristãs; enfim, são horas e horas em frente a um computador, que poderiam ser gastas em momentos com a família e os amigos, em passeios e outras atividades mais saudáveis e produtivas. Sem falar no perigo que existe de ficar viciado em Internet, seja em redes sociais, seja em outros meios que ela disponibiliza.

Podemos e devemos estar atentos aos tipos de *sites* que nossos filhos visitam, além de orientá-los quanto a conversas com estranhos. Após a instrução, vem a vigilância: precisamos estar alerta e sempre verificar se estão cumprindo nossas orientações ou não. Um pouco de empenho da parte dos pais ajuda a livrar os filhos de ataques virtuais à sua vida espiritual.

Meu filho proibiu que meu neto Davi, de 6 anos, entrasse em *sites* de jogos de brigas no computador. Um dia, quando estavam todos na sala e o menino, jogando à mesa, meu filho levantou-se para lhe dar um susto de brincadeira e, para sua surpresa, a criança mais que depressa fechou o *notebook*, bastante desconfiada. Os pais imediatamente perceberam que algo estava errado e pediram para ver o que ele estava jogando. Depois de alguma relutância, Davi cedeu e mostrou que estava acessando um dos jogos proibidos. Ele foi disciplinado e os pais conversaram sobre como era importante lhes obedecer.

Em sua inocência, Davi perguntou ao pai como sabia que ele estava jogando indevidamente. Meu filho respondeu que, mesmo que ele não soubesse, Jesus sabia tudo e via tudo. Naquela ocasião foi um jogo, mas... E se a correção não viesse, o que poderia alcançar meu neto por meio daquela tela? Tempos depois, a irmã de Davi, Raquel, foi questionada por ter feito algo errado. Com medo do pai, ela negou a autoria da traquinagem, ao que o irmãozinho prontamente disse: "É melhor você contar, senão Jesus conta". Essa foi sua inocente dedução do episódio do jogo: foi Jesus quem contou.

A ameaça das amizades

Outra ameaça que deve preocupar bastante os pais são as amizades. A influência dos amigos na vida dos filhos é muito forte, principalmente se entre esses colegas houver algum com capacidade de liderança, pois nunca se sabe aonde essa liderança pode levar os demais. A opinião da "galera" pesa e muito para eles. Ninguém quer fazer papel de "otário" nem de "manobrado" pelos pais. O menino e a menina "certinhos", "socialmente corretos", estão fora de moda aos olhos da maioria. O cristão verdadeiro, então, nem se fala!

Ficar fora dos círculos de amizade é muito doloroso. Adolescentes e jovens andam em bandos, com suas tribos, e, na maioria das vezes, os pais não acompanham o processo de incorporação dos filhos a esses grupos. Com isso, entram em choque — em especial com os adolescentes.

Alguns pais suspiram, saudosos, pelo tempo em que os filhos eram criancinhas; mas isso não adianta, não resolve o problema. Cada período traz suas dificuldades. Sempre haverá problemas, seja em que época for. O importante é o cuidado, a atenção, a boa vigilância sobre a vida dos filhos. Eles precisam saber que têm a quem prestar contas.

Se Deus, que nos ama de maneira completa, nos disciplina, "pois o Senhor disciplina a quem ama, assim como o pai faz ao filho de quem deseja o bem" (Pv 3.12), quem somos nós para não corrigirmos os filhos? A orientação, a correção e os limites que os pais devem impor são parte da barreira contra as ameaças à vida espiritual de cada um.

No entanto, amigos tanto podem ser perigosos quanto podem ser os "companheiros que ajudam a não cair". É muito bom incentivar as amizades dos filhos com amigos que creem em Deus, que têm no temor do Senhor a sua vida. Minha neta Raquel é uma menininha muito alegre, feliz e bastante sociável. A mãe, sabiamente, incentivou sua amizade com as coleguinhas da igreja desde cedo.

Faça a sua parte: reúna os amigos dos seus filhos, prepare um lanchinho em casa, convide-os para assistir a um bom filme, tenha conversas abertas e divertidas com eles: você vai conquistá-los, e garanto que eles vão gostar. Sempre trouxe os amigos dos meus filhos para casa, algo que aprendi com meus avós e meus pais. É uma estratégia que dá certo e reforça a proteção. Sou amigona até dos amigos dos meus netos. Quer saber? É uma delícia!

A família que crê em Deus e deposita nele a sua confiança, em oração, é a grande barreira de proteção para os filhos. As conversas em família, o diálogo com os filhos e os limites impostos pelos pais são fundamentais e indispensáveis. O aprendizado e as lembranças de experiências vividas em um núcleo familiar onde receberam a Palavra do Senhor serão o norte que os filhos levarão para a vida inteira e que os protegerá de ameaças contra sua vida espiritual.

Ore comigo

Senhor, muitas são as ameaças contra a vida espiritual de nossos filhos. Sabemos que não podemos retê-los, prendê-los debaixo de nossas asas. Por isso, Pai, ajuda-nos a orientá-los e a criá-los segundo a tua Palavra. Auxilia-nos a ensinar a eles o caminho em que devem andar. Fortalece-nos para que sejamos firmes e saibamos impor limites com sabedoria, para que os disciplinemos quando necessário, com amor. Oramos pelos professores e pelas autoridades das escolas e das universidades onde nossos filhos estudam ou ainda estudarão. Oramos pelos amigos de nossos filhos e pela família deles. Pedimos a tua proteção para o tempo em que nossos filhos estão na Internet. Deus, que nenhum poder do mal venha sobre eles! Queremos os nossos filhos rendidos aos teus pés e não como escárnio do Maligno. Suplicamos a tua ajuda, em nome de Jesus.

Oração individual

Ore individualmente, pedindo a Deus que proteja seus filhos dos ataques do mal:

_____
_____
_____
_____

Para reflexão

Saibam, portanto, que o Senhor, o seu Deus, é Deus; ele é o Deus fiel, que mantém a aliança e a bondade por mil gerações daqueles que o amam e obedecem aos seus mandamentos.

Deuteronômio 7.9

... Mas, eu e a minha família serviremos ao Senhor.

Josué 24.15

Todos os seus filhos serão ensinados pelo Senhor, e grande será a paz de suas crianças.

Isaías 54.13

Restauração e fé

Tenho dois filhos homens, que cresceram ao meu lado nos bancos da igreja. Divorciada do pai deles, casei-me de novo depois de enfrentar muita solidão. Isso coincidiu com o tempo do meu afastamento de Jesus. Era um momento agitado de minha vida, com agendas social e profissional muito intensas, o que me levava cada vez mais por veredas diferentes dos caminhos de Deus. Fiz escolhas de modo precipitado e sem oração, visando mais às minhas realizações no mundo do que ao reino de Deus. Esses desvios me levaram a tempestades e desertos; encruzilhadas que, sem a presença do Espírito Santo, só fizeram a minha fé vacilar.

Mesmo tendo tido experiências maravilhosas com Deus, não resisti aos apelos do mundo e, escorada em toda sorte de desculpas, afastei-me de uma vez por todas da igreja. Pior, levei meus filhos, já adolescentes, comigo.

Na época em que eles mais precisavam, não tinham a presença do Espírito do Senhor para guiá-los e guardá-los. E eu, ocupada demais, exercendo um alto cargo de confiança no governo do estado, não me dei conta do rumo que minha família tomava. Eu não tinha tempo para nada e me afastava cada vez mais de Deus! A vida era um turbilhão de poder e vaidade que me cegava para os verdadeiros valores da alma.

Com o fim do meu segundo casamento, o pai de meus filhos e eu reatamos. Depois de vinte anos separados, casamos com netas gêmeas no colo. Continuamos, porém, correndo cada qual com sua vida: eu morava na Paraíba, e ele, no Rio de Janeiro. O tempo para a família era escasso e para o Senhor, nenhum! Mas Deus, que tudo vê e tudo pode, levantou sua mão sobre minha vida e começou a refazer tudo, do jeito que ele queria. Cinco anos depois de casados, meu marido teve um AVC hemorrágico e ficou impossibilitado de caminhar. Deixei o cargo que ocupava e comecei a sentir o abandono de muitos que me rodeavam apenas por causa do poder que eles acreditavam que eu tinha.

Deus iniciava, ali, a grande restauração que até hoje faz em minha vida. Estando minha família totalmente desencontrada, com problemas e decepções por todos os lados, Jesus, por pura graça e misericórdia, começava a juntar os pedaços que restavam de mim.

Hoje, de volta e rendida aos pés do Senhor, ouço constantemente sua voz me falar, em Oseias 2.14, "Portanto, agora vou atraí-la; vou levá-la para o deserto e falar-lhe com carinho". Esse é um testemunho do deserto, da espera do cumprimento da promessa. Vivo nessa travessia e não sei o que seria de mim sem as misericórdias do Senhor, que se renovam a cada manhã. Grandes são as provas, mas a mão de Jesus, sempre firme, me sustenta para que eu não saia mais dos seus caminhos.

Dos meus filhos, o mais velho, junto com sua família, vive na busca do Senhor. Porém, o mais novo, que desde pequenino orava com fervor, segue a vida com a esposa e cursa a faculdade, mas ainda está distante de Deus. E meu marido, um cientista, intelectual, que conhece a Bíblia de capa a capa, ainda não conhece o verdadeiro Senhor da Palavra.

Sou uma mulher de oração, uma Débora! Confio que minha família será salva. Creio que verei toda a minha casa confessar que Jesus é seu Senhor e Salvador!

Dada Novais
Igreja Batista Nacional, João Pessoa (PB)

CAPÍTULO 4

MANTENHA-SE ALERTA
QUAIS SÃO OS PRINCIPAIS CUIDADOS AO ORAR PELOS FILHOS?

> Acima de tudo, guarde o seu coração, pois dele depende toda a sua vida.
>
> PROVÉRBIOS 4.23

A Bíblia está repleta de mensagens de orientação, conselho e alerta para quem se dispõe a ter uma vida eficaz de oração. Sempre devemos fazer aquilo que nos propusemos a realizar na obra de Deus sobre a base forte e sólida da oração. Se tomamos a decisão de fazer algo, de mudar alguma coisa em nosso jeito de ser, de passarmos a viver de maneira diferente da que vivemos até então, isso implica responsabilidades e consequências. A opção por ter uma vida mais íntima com Deus em oração não foge à regra.

Se falamos de mães que oram pelos filhos, precisamos entender que existem requisitos para que sejam superadas as dificuldades que, com certeza, aparecerão. Em geral, somos pessoas bastante ocupadas, com agendas lotadas, e temos o hábito de orar somente nos momentos de crise, quando o problema já se instalou. O chamado para interceder pelos filhos não é uma explanação teórica de uma oração; é muito mais que isso, pois a oração nos leva a superar obstáculos e a nos aproximar do coração de Deus, em um relacionamento estreito e prazeroso.

Nossa oração pelos filhos precisa vir de um coração quebrantado, confiante no Senhor e cheio de fé. A Bíblia diz que sem fé é impossível agradar a Deus (cf. Hb 11.6); portanto, precisamos ser movidas por ela. Nossa oração precisa ter força e ousadia; não pode ser vazia nem superficial. Devemos passar momentos profundos na presença do Altíssimo, o que nos levará à intimidade com ele e nos permitirá identificar seu Espírito em nós todo o tempo, o tempo todo. Ao orarmos pelos filhos, dificuldades surgirão. O que precisamos é identificar essas dificuldades. Vamos falar, a seguir, sobre o que considero ser os principais cuidados que devemos ter na oração pelos filhos.

Cuidado com quem compartilha sua intimidade

A Bíblia nos orienta: "Acima de tudo, guarde o seu coração, pois dele depende toda a sua vida" (Pv 4.23). Esse é um sábio ensinamento, porque guardar o coração nos protege contra os ataques da vida, em todas as suas formas e naturezas. Quando expomos demais o coração, evidenciamos a falta de cuidado com nossa intimidade. Abrir o coração, os problemas íntimos, sem sabedoria, para qualquer pessoa, em qualquer lugar e de qualquer jeito — mesmo que em oração — é ficar desprotegida, com a vida aberta. Na maioria das vezes, não é prudente agir assim, principalmente quando passamos por lutas e ficamos mais fragilizadas. Observando minha mãe, aprendi que sabedoria é escutar mais do que falar.

A vigilância precisa ser contínua porque tendemos a nos apoiar em quem primeiro encontramos. Para sermos intercessoras de nossos filhos, mães de oração, temos de vencer a tentação de expor nossa intimidade, nossas emoções, nossa alma. Isso é muito sério. Não é bom ser uma pessoa muito fechada, mas ter reserva e prudência não faz mal a ninguém. A partir do momento em que entendemos a importância da cobertura de oração para os filhos e da preservação de nossa intimidade, devemos pedir ao Senhor que mostre outras pessoas dedicadas à intercessão para somar forças em nossa oração por eles.

> Para sermos intercessoras de nossos filhos, mães de oração, temos de vencer a tentação de expor nossa intimidade, nossas emoções, nossa alma.

Só o Senhor conhece totalmente nosso coração e nossas lutas. Como diz o salmista, "Sonda-me, ó Deus, e conhece o meu coração; prova-me, e conhece as minhas inquietações" (Sl 139.23). Que maravilha! Quando o salmista roga que o Senhor o sonde, é porque reconhece que não é capaz de sondar a si mesmo, que precisa de Deus para entender sua alma. O coração é enganoso, e não podemos confiar nele sem a intervenção do Senhor, que nos examina e nos protege até de nós mesmos. Devemos sempre analisar em que ombro estamos descansando nossa cabeça, isto é, para quem estamos abrindo o coração e expondo nossas dificuldades.

Já recebi, algumas vezes, pessoas que me pedem oração por determinadas causas e ainda têm coragem de dizer que o pedido foi sigiloso. Só que estão expondo o problema de outras pessoas ao pedir que eu ore por elas! Em seguida, encontro muitas outras irmãs que receberam o mesmo pedido. Se era sigiloso, como tanta gente está sabendo? Será que o indivíduo que enfrenta tal problema e confiou em alguém para interceder por ele pensava que a igreja toda acabaria sabendo? Precisamos aprender a guardar sigilo sobre o que as pessoas confiam a nós, sobre suas causas e seus pecados, e, igualmente, aprender em quem podemos depositar nossa confiança.

Todas precisamos ter uma ou mais pessoas em quem confiar. Ninguém deve andar só. A Bíblia fala de amigos mais apegados que irmãos (cf. Pv 18.24). É importante, sim, ter a quem prestar contas e com quem compartilhar nossa vida, mas esses precisam ser gente escolhida e trazida a nós pelo Senhor, que é quem sonda o nosso íntimo e sabe de quem precisamos.

No Desperta Débora, tenho amigas que dividem entre si os fardos e as alegrias umas das outras. E tenho também quatro "guardiãs" que oram constantemente por minha vida, minha família e meu ministério. Quando enviou seus discípulos, Jesus não os mandou solitários: "Depois disso o Senhor designou outros setenta e dois e os enviou dois a dois, adiante dele, a todas as cidades e lugares para onde ele estava prestes a ir" (Lc 10.1).

Tome cuidado com o que fala por aí. Tenha sabedoria ao expor sua vida. Mas não abra mão de ter boas e fiéis companheiras de oração.

Cuidado com a sua vontade

Outra dificuldade na intercessão pelos filhos é a nossa vontade. A forte e poderosa vontade. A simples e curta frase "Eu quero" tem o poder de um incêndio. Somos mulheres criadas à imagem e conforme a semelhança de Deus, mesmo que a queda tenha danificado essas características. O Senhor nos dotou de brilho, inteligência e vontade. Muitas vezes, é essa vontade que precisamos dominar, ainda mais quando oramos pelos filhos.

O apóstolo Paulo fala sobre o poder da vontade: "Pois o que faço não é o bem que desejo, mas o mal que não quero fazer, esse eu continuo fazendo" (Rm 7.19). Nossa vontade muitas vezes nos leva a orar pelos filhos desejando situações para a vida deles que de maneira nenhuma estão de acordo com a vontade de Deus. São, na realidade, expressão daquilo que queremos. Diante disso, você poderia se perguntar: "Mas as mães não querem o bem dos filhos?". Claro que sim. Mas Deus não quer só o bem, ele quer o *melhor*. E esse melhor algumas vezes vai de encontro ao que consideramos ser o bem. Importa que estejamos atentas para discernir a vontade divina.

Não estou dizendo que orar segundo a vontade do Senhor seja uma atitude fácil. Nunca será; no entanto, pode ser simples. A escritora Evelyn Christenson diz que devemos entregar tudo de nossa vida a Deus e à sua perfeita vontade, e que viver em completa união com o querer divino não é algo monótono ou estático, pois é um compromisso único, eterno, em que devemos trabalhar constantemente. A mudança acontece em quem ora; somos *nós* que mudamos quando oramos de acordo com a vontade de Deus. Essa transformação opera em nosso interior e nos surpreende ao percebemos quanto aprendemos com o Senhor e no Senhor. Isso é fantástico, indescritível, forte e, ao mesmo tempo, muito doce e pacífico.

> Nossa vontade muitas vezes nos leva a orar pelos filhos desejando situações para a vida deles que de maneira nenhuma estão de acordo com a vontade de Deus.

Repare na oração que Jesus fez na noite em que foi preso: "Pai, se queres, afasta de mim este cálice; contudo, não seja feita a minha vontade, mas a tua" (Lc 22.42). Você já conseguiu dizer isso? É uma verdadeira oração de entrega. A Bíblia relata que, depois dessa oração, um anjo do céu apareceu a Jesus e o fortaleceu, prova de que Deus não nos deixa sós.

Em minhas viagens a serviço do Desperta Débora, tenho a oportunidade de dialogar com muitas mães. Alegramo-nos juntas, choramos juntas e compartilhamos nossa vida. São experiências maravilhosas. Lembro-me de uma mãe que desejava ardentemente que a filha cursasse medicina, uma carreira que, aos seus olhos maternos, poria a filha em uma situação privilegiada. Era o sonho de sua vida. E quem poderia condenar essa mãe? Ela me contou que, certo dia, um missionário que atuava em países distantes foi à sua igreja e pregou uma mensagem que mexeu com todos. No final, ele lançou um desafio para que pessoas pusessem sua vida nas mãos de Jesus e se oferecessem para o trabalho missionário nos campos transculturais. Adivinha quem foi à frente? A filha.

Aquela senhora entrou em choque. Como sua filha podia atender a um apelo como aquele? O medo dessa mãe foi tanto que a família abandonou a igreja. A filha tentou por diversas vezes o vestibular para o curso de medicina e, até onde sei, nunca passou. Isso faz pensar: qual é o peso da nossa vontade na vida dos filhos? Em que medida nossos sonhos podem interferir nos planos de Deus para eles? Como é orar segundo o coração de Deus e se render ao seu propósito? Que oração é essa que, quando o Senhor não abre a porta, nós arrombamos a janela?

A vontade de Deus é boa, agradável e perfeita (cf. Rm 12.2). Os planos dele são os melhores, porque ele é quem conhece os intentos que tem para cada um. E, se andarmos dentro dos propósitos do Senhor, nós o procuraremos e o acharemos. O que mais podemos querer? Por que não descansamos e não rendemos nossa vontade acerca da vida de nossos filhos à vontade do Senhor? Não é fácil; é um exercício de disciplina do nosso querer — mas, acredite: vale a pena.

Cuidado com a administração do tempo

Outra dificuldade na dinâmica de oração pelos filhos é saber administrar o tempo. Em nossos dias, as mulheres tentam equilibrar os papéis de esposa, mãe, profissional e muitos outros, e isso é um desafio extremamente difícil. O resultado: estresse, conflitos e, com frequência, frustrações. Com cristãs não é diferente, e nesse caso entra na equação, ainda, o desejo de agradar a Deus e fazer sua vontade. Como é possível conciliar trabalho, lar, filhos, marido, amizades e os momentos tão importantes de oração?

"Dirige-me pelo caminho dos teus mandamentos, pois nele encontro satisfação. Inclina o meu coração para os teus estatutos, e não para a ganância. Desvia os meus olhos das coisas inúteis; faze-me viver nos caminhos que traçaste" (Sl 119.35-37). Nessa passagem, o salmista mostra que devemos desviar a atenção do que, embora sendo inútil, ocupa nosso precioso e escasso tempo.

Para vencer essa dificuldade, é importante parar um pouco a rotina, tirar os olhos do mundo e fazer uma avaliação de como está o seu dia a dia. A agenda está sendo cumprida sem estresse nem sufoco? Ou tem sido necessário chamar a "supermulher" constantemente? Sua família tem reclamado de sua ausência ou você tem se sentido culpada por não estar com ela? E com o Senhor, é só um "Alô" e um "Até logo"? Onde está o tempo para Deus?

Certa vez, assisti a uma palestra maravilhosa do pastor Ivênio dos Santos sobre nosso tempo de oração. Ele nos alertou sobre um tipo bem comum de oração, que muitas vezes fazemos sem perceber, apelidada de "oração com a mão na maçaneta": aquela que normalmente fazemos no dia a dia, de forma apressada, estressada e atrasada. A oração é feita já com a mão na maçaneta da porta — daí o nome — e diz somente "Deus, bom dia, blá blá blá" e já vamos abrindo a porta e saindo. Todos os que acompanharam aquela pregação se recordaram de, pelo menos algumas vezes na vida, terem feito aquela oração. Foi um *mea culpa* geral. Devemos estar sempre em alerta máximo, para orar sem a "mão na maçaneta". Precisamos cuidar para que o tempo seja nosso aliado, e não uma dificuldade a ser vencida.

Muitas vezes, pensamos que o que fazemos pelos filhos é pouco e, então, nos culpamos. Sabendo da importância das orações na vida deles, como podemos relaxar em uma área tão vital? Se continuarmos deixando o tempo vencer a intercessão por eles, mais tarde vamos nos pegar lamentando: "Ah, se eu tivesse orado...". Temos de orar *agora*! O tempo é *hoje*. A oração pelos filhos é *urgente*! O tempo gasto agora com certeza fará a diferença — hoje e no futuro deles.

Veja o que o profeta Jeremias escreveu: "Levante-se, grite no meio da noite, quando começam as vigílias noturnas; derrame o seu coração como água na presença do Senhor. Levante para ele as mãos em favor da vida de seus filhos..." (Lm 2.19). Quando Jeremias redigiu essas palavras, Israel passava por um momento dificílimo, um tempo de desolação. O profeta pediu que as mulheres derramassem seu coração como água na presença de Deus pelos filhinhos, pelas crianças que passavam fome, tal era a miséria causada pelo cerco babilônico. Essa passagem sempre me causou um forte sentimento de tristeza. Imagino as mães sendo induzidas pelo profeta a orar em favor dos filhinhos caídos nas ruas com fome, em meio ao terror que o inimigo despertava.

> Precisamos cuidar para que o tempo seja nosso aliado, e não uma dificuldade a ser vencida.

Trago esse sentimento para hoje e creio que o grito é o mesmo: "Levante-se, grite no meio da noite...". É um clamor pela oração em prol dos filhos caídos nas ruas de todas as cidades, sujeitos a todo tipo de ataque do mal. Um grito também pelos filhos caídos dentro dos lares, desesperadamente necessitados de socorro. O terror é o mesmo por nossos meninos e meninas espalhados por aí. O grito é por socorro, mas também por libertação.

Lembro-me da madrugada em que li o pedido de oração de uma amiga pelas pessoas que estavam em uma boate que acabara de incendiar. Era a tragédia da boate Kiss, em Santa Maria (RS), na qual muitos jovens perderam a vida. Chocada, comecei a orar e a clamar pelos sobreviventes e pelos familiares das vítimas. Agradeci também a Deus por meus filhos e netos não estarem lá. Meu coração se rasgou pela dor de outras mães diante daquele horror. Foi uma tragédia que envolveu, em sua maioria, justamente as vidas por quem clamamos, choramos e intercedemos. O episódio me fez pensar: as lutas e as aparentes derrotas devem nos fazer desistir? De jeito nenhum! Se há ainda algum jovem que precise de nossas orações, devemos persistir. Não vamos e não podemos desistir!

E não desistimos. Seis meses depois da tragédia, fui, com um grupo de líderes da Mocidade para Cristo e do Desperta Débora em Santa Maria, até uma praça próximo à boate onde aconteceu a tragédia. O que se via ali era um velório contínuo. Uma tenda estava armada e muitos pais de jovens mortos, e mesmo dos sobreviventes, faziam ali uma vigília em busca de justiça e de uma explicação que acalmasse seu coração. Essa, no entanto, é uma paz que só o Senhor Jesus lhes poderia dar. Foi disso que falamos naquele dia para tantas vidas angustiadas e sofridas. Fomos também até a porta da boate, cercada por flores e cartazes cheios de amor e saudades. Muito duro, muito triste, muita necessidade de oração! Horrores como aquele nos lembram de que devemos devotar tempo à oração por nossos filhos como uma prioridade, jamais como uma tarefa secundária.

Cuidado com a impaciência para esperar e perseverar

Outro aspecto que nos desafia na tarefa de interceder por nossos filhos é a dificuldade de esperar. Como é difícil saber esperar! Somos impacientes e cada dia mais imediatistas. Queremos tudo para hoje, agora, num estalar dos dedos. Muitas vezes, optamos por comer *fast food,* mesmo sabendo que não é um tipo de alimento saudável. Se adoecemos, procuramos medicamentos que nos ponham de pé no outro dia. Amizades são rápidas e passageiras, a ponto de ser descartáveis. Até na área sentimental a coisa está acelerada: conhece hoje, namora amanhã e depois de amanhã já casa — isso quando não se divorcia logo depois. Assim é a vida na atualidade, e temos a tendência de levar esses hábitos para as nossas orações.

Ao orar, queremos uma resposta imediata; não aguentamos esperar por Deus e por seu tempo. Por isso, "determinamos", "declaramos", negociamos, pintamos e bordamos... porque tudo é urgente e para ontem! Mas e se Deus não responder de imediato? E quando ele resolver, por seus misteriosos caminhos, que é preciso esperar?

Na Bíblia vemos o exemplo de homens e mulheres de Deus que tiveram de esperar muito tempo pelo cumprimento das promessas do Senhor. Alguns aguardaram por anos, pacientemente, crendo que Deus seria fiel ao que havia prometido, como Ana, Jó, Simeão e tantos outros. Todos tiveram de esperar, mas não desistiram; preferiram ter paciência e confiar em Deus. "De manhã ouves, Senhor, o meu clamor; de manhã te apresento a minha oração e aguardo com esperança" (Sl 5.3). Saber esperar é uma prova de sabedoria. Ter paciência para esperar nos ajuda a ter o melhor porque, como bem diz o ditado, "o apressado come cru".

Nesse campo, outra séria dificuldade para os pais orarem pelos filhos é a impaciência para perseverar. Como é difícil perseverar em oração! Começamos a nos distrair com as coisas da vida, o tempo se esvai, o dia corre e passamos a priorizar outras coisas, deixando a oração por certos aspectos da vida de nossos filhos cair no esquecimento. Começamos, mas não levamos adiante. Assim, vamos substituindo um pedido por outros e enfraquecemos na determinação de orar. Todavia, foi Jesus mesmo quem disse para insistirmos, batermos e insistirmos de novo, até sermos atendidos.

> Saber esperar é uma prova de sabedoria.

Uma passagem espetacular nesse sentido, que nos impulsiona a perseverar e a não abandonar as orações não respondidas, é a parábola da viúva persistente. Como gosto dessa mulher, uma guerreira de primeira linha!

> Então Jesus contou aos seus discípulos uma parábola, para mostrar-lhes que eles deviam orar sempre e nunca desanimar. Ele disse: "Em certa cidade havia um juiz que não temia a Deus nem se importava

com os homens. E havia naquela cidade uma viúva que se dirigia continuamente a ele, suplicando-lhe: 'Faze-me justiça contra o meu adversário'. "Por algum tempo ele se recusou. Mas finalmente disse a si mesmo: 'Embora eu não tema a Deus e nem me importe com os homens, esta viúva está me aborrecendo; vou fazer-lhe justiça para que ela não venha mais me importunar'". E o Senhor continuou: "Ouçam o que diz o juiz injusto. Acaso Deus não fará justiça aos seus escolhidos, que clamam a ele dia e noite? Continuará fazendo-os esperar? Eu lhes digo: Ele lhes fará justiça, e depressa. Contudo, quando o Filho do homem vier, encontrará fé na terra?"

Lucas 18.1-8

A fé nos leva a perseverar, a bater até sermos atendidos. Ela quebra as arestas do impossível e nos faz olhar com confiança para o alto, de onde virá o socorro de que tanto precisamos. Não concordo com o argumento segundo o qual não podemos importunar Deus com o mesmo pedido muitas vezes. Não acredito que seja assim porque Jesus disse que não era para ser assim — está aí a parábola da viúva persistente para comprovar. Pelo contrário, creio que Deus se deleita em ouvir nossa voz, seja clamando, seja pedindo, seja louvando, seja agradecendo: é a voz de seus filhinhos que ele quer ouvir. Persevere! Faça mil vezes o mesmo pedido ao Senhor. Derrame seu coração como água diante dele. A resposta virá segundo a vontade de Deus e no tempo dele.

Quando tomamos uma posição firme para a batalha na intercessão pelos filhos, muitas coisas aparecem para desviar o nosso foco e nos fazer largar a determinação com que começamos. As flechas inflamadas do Maligno são atiradas de todos os lados para enfraquecer nossa fé, tirar nossa esperança e nos fazer desistir. Mas Deus é maior que tudo! Persevere!

Ore comigo

Pai, agradeço por todas as dificuldades que nos ajudaste a superar. Como foi importante a tua ajuda! No entanto, Senhor, a estrada à nossa frente ainda é longa e continuamos precisando de ti, pois dependemos de ti. Cuida de nossas emoções, dá-nos sabedoria para não nos expormos tanto. Põe ao nosso lado companheiras com quem possamos contar. Ensina-nos a orar sem a mão na maçaneta; pelo contrário, que nos deleitemos em tempo precioso na tua presença. Ajuda-nos a ter paciência para esperar o teu tempo, em perseverança. Pai, que vivamos pela fé. Em nome de Jesus. Amém.

Oração individual

Ore individualmente, pedindo a Deus ajuda a fim de vencer as dificuldades para orar:

_____
_____
_____
_____
_____

Para reflexão

"Por causa da opressão do necessitado e do gemido do pobre, agora me levantarei", diz o Senhor. "Eu lhes darei a segurança que tanto anseiam."

Salmos 12.5

Peçam, e lhes será dado; busquem, e encontrarão; batam, e a porta lhes será aberta. Pois todo o que pede, recebe; o que busca, encontra; e àquele que bate, a porta será aberta.

Mateus 7.7-8

Vocês não me escolheram, mas eu os escolhi para irem e darem fruto, fruto que permaneça, a fim de que o Pai lhes conceda o que pedirem em meu nome.

João 15.16

Filha restaurada

No dia 27 de junho de 1992, recebi um telefonema avisando que minha filha de 14 anos havia sofrido um acidente. Ela estava caçando com amigos e um deles, achando que a espingarda estava descarregada, atirou na cabeça dela a curta distância. O tiro pegou na parte frontal, do lado direito.

Enquanto esperávamos que ela chegasse, fiquei em oração, pedindo a Deus que a acompanhasse no caminho, segurasse sua mão e não a deixasse morrer. Quando ela chegou e a porta da ambulância foi aberta, percebi que a situação era muito mais grave do que nos disseram. Minha filha estava desacordada, ensanguentada, com massa encefálica saindo do crânio. Ela foi levada imediatamente para a sala de emergência. Eu fiquei ali, parada, em choque, e pude perceber quanto somos impotentes diante da vida e totalmente dependentes de Deus.

Depois que os médicos entraram com ela, fiz esta oração: "Senhor, minha menina está em tuas mãos. Só tu podes fazer algo por ela. Entra naquela sala e faze a cirurgia nela. Que os médicos sejam somente um instrumento em tuas mãos. Repõe cada neurônio que foi afetado, cria sinapses, recupera cada célula que ela precisa para andar, falar e ficar perfeita. Nós a aceitamos da forma que o Senhor nos devolver, mas, por favor, dá-nos uma segunda chance, deixa-nos levá-la para casa com vida".

Ela passou por uma cirurgia demorada. No dia 29, porém, teve complicações e precisou voltar à sala de cirurgia para retirar células mortas e restos de chumbo, papel higiênico e palha de aço que compunham a bucha usada para carregar a espingarda. Foram nove dias em coma até que o médico declarasse que ela estava fora de perigo.

Passamos por longas lutas. Minha filhinha teve de começar do zero. Passou um tempo em cadeira de rodas e teve de usar muletas. Hoje só podemos agradecer a Deus por sua graça e misericórdia em nossa vida e pelas orações respondidas. Ela ficou com hemiplegia do lado esquerdo do corpo, mas é mentalmente perfeita. Tanto que já fez até curso superior. É uma pessoa forte, uma guerreira.

Deus reverteu o mal em bênçãos. Se, para nos aproximarmos mais de Deus, teríamos de passar por tudo isso, posso afirmar: "Foi bom para mim ter sido castigado, para que aprendesse os teus decretos" (Sl 119.71).

EULÁLIA AIRES COLAÇO
Equipe do Desperta Débora Nacional, João Pessoa (PB)

CAPÍTULO 5

FAÇA A COISA CERTA
QUAIS SÃO OS ERROS MAIS FREQUENTES NA INTERCESSÃO PELOS FILHOS?

> Quando pedem, não recebem, pois pedem por motivos errados, para gastar em seus prazeres.
>
> Tiago 4.3

Há pessoas que oram muito, mas oram errado. A Bíblia nos orienta que não basta pedir; é preciso saber *como* pedir. Por mais forte que seja o nosso amor pelos filhos, todas cometemos erros quando intercedemos por eles. Muitas vezes, nossas petições não são atendidas, por exemplo, porque se sobrepõem aos desejos do Senhor de paz, ao que ele tem de melhor para nos dar. Quando Tiago diz que "A oração de um *justo* é poderosa e eficaz" (Tg 5.16), está se referindo àquele que conhece a Deus numa relação significativa, alguém que tem a linguagem da oração no coração e tem atitudes de dependência e humildade, que ama o Senhor sobre todas as coisas — até mesmo a si e à família — e ao próximo como a si mesmo.

Examinemos, agora, alguns dos erros mais frequentes na intercessão pelos filhos.

Desconhecimento de Deus e da Bíblia

A raiz dos erros na intercessão é o pouco conhecimento de Deus e das Escrituras, pois só o Senhor e a sua Palavra nos dão a segurança de saber que, se orarmos segundo a sua vontade, ele é fiel e justo para nos acudir. Conhecer a Bíblia nos leva às águas tranquilas da paz que excede todo o entendimento, nos dias bons e nos dias maus. Quando conhecemos a Deus e desfrutamos de intimidade única com ele, entendemos que o Altíssimo jamais vai contrariar quem ele é, nem mesmo para nos agradar. Logo, não adianta "decretar", "declarar", impor condições ou barganhar.

O conhecimento das Escrituras nos concede paz por nos fazer saber que Deus existe, nos abriga em seu esconderijo e age em nosso favor. Mais ainda, por garantir que estamos ligados por laços de sangue ao seu único Filho, Jesus Cristo. "Tu, Senhor, guardarás em perfeita paz aquele cujo propósito está firme, porque em ti confia" (Is 26.3) O pastor Ariovaldo Ramos disse em uma palestra no retiro de nossa igreja: "Por toda a eternidade haverá um fio vermelho entre nós: o sangue de Cristo". Esse fio nos liga ao Eterno, nos aproxima dele e nos eleva a um grau de conhecimento em que podemos orar com acerto e precisão pela vida de nossos filhos.

Esse conhecimento também é a chave para desfrutarmos do poder de Deus sem nos sentirmos aterrorizadas diante das forças do Inimigo. Satanás é limitado e está debaixo das ordens de Deus (cf. Jó 1.12). A autoridade pertence a Deus, toda ordem procede dele, o poder é do Altíssimo!

Quando ignoramos ou desconhecemos as Escrituras, abrimos portas para o Acusador atacar nossa vida, para a oração ter pouca eficácia e, assim, o pecado prevalecer. Permitimos que Satanás aja, como se lhe disséssemos: "Pode entrar. A casa é sua!". Precisamos manter as portas sempre fechadas e entregar as chaves nas mãos do Senhor. É ele quem nos orienta e ensina: "Eu o instruirei e o ensinarei no caminho que você deve seguir; eu o aconselharei e cuidarei de você" (Sl 32.8).

Ruídos na comunicação com Deus

Outro erro na intercessão pelos filhos são os problemas na comunicação com Deus. Em geral, quando isso acontece, achamos que foi o Senhor quem fechou os canais para nós. Ouço com frequência pessoas dizerem que Deus não fala com elas, que não escutam a direção do Senhor, que a comunicação está falha ou foi interrompida.

Na verdade, o que falta para que nossa comunicação com Deus seja clara, sem ruídos ou interferências de qualquer natureza é a aquietação do coração.

Todas concordamos que Deus é sempre o mesmo. Nós, todavia, não somos assim. Temos alterações de humor, e nossas opiniões e causas mudam. Temos altos e baixos até mesmo em relação a Deus, pelo que alguns de nossos dias são mais ardorosos que outros. Deus não: dia após dia, ano após ano, ele é o mesmo. Essa dissonância pode gerar problemas de comunicação.

Como em qualquer relacionamento, a comunicação é um fator de extrema importância para o entendimento entre as partes. Não é diferente com a oração. Pelo fato de ela ser o principal canal de relacionamento com Deus, é preciso haver diálogo para que ocorra entendimento mútuo. É importante que um escute o outro. Nós falamos, Deus ouve; Deus fala, nós ouvimos. Simples. Por isso, se houver falhas nessa comunicação, podem ocorrer enganos e interferências na compreensão sobre qual é a vontade de Deus para os filhos por quem oramos.

> Como em qualquer relacionamento, a comunicação é um fator de extrema importância para o entendimento entre as partes. Não é diferente com a oração.

É maravilhoso quando entramos em sintonia nos nossos relacionamentos. Muitas vezes, temos uma relação tão íntima com alguém que nem precisamos dizer nada; basta um olhar e a comunicação está feita, com tudo devidamente entendido. É fundamental haver esse sentimento de cumplicidade quando intercedemos por nossos filhos, a tal ponto que, mesmo sem falar ou ver fisicamente o Senhor, saibamos o que ele está nos dizendo. Quando isso ocorre, uma alegria imensa nos invade por causa da presença do Deus santo em nosso coração, presença essa que chega a nos levar às lágrimas.

Recordo-me de certa vez em que saí de casa muito apressada e, no carro, me dei conta de que, naquela manhã, não havia conversado com o Senhor nem agradecido por mais um dia. Comecei, então, a entoar um louvor e a dar graças. De repente, uma alegria enorme invadiu meu coração. Foi uma sensação linda da presença do Espírito

Santo, que encheu a minha alma, ali, no trânsito. Eu o louvava e chorava ao mesmo tempo. Tenho certeza de que essa foi uma das grandes experiências que tive em meu relacionamento com o Senhor. Não podemos perder esses momentos preciosos, que nos proporcionam tanta alegria. Temos, então, o desejo de dizer como o salmista: "Eu te exaltarei, meu Deus e meu rei; bendirei o teu nome para todo o sempre! Todos os dias te bendirei e louvarei o teu nome para todo o sempre! Grande é o Senhor e digno de ser louvado; sua grandeza não tem limites" (Sl 145.1-3).

Na falta de uma comunicação íntima com o Senhor, perdemos o canal que nos leva a uma intercessão segundo o coração de Deus, e não segundo a nossa vontade.

Pressa

Na minha infância, ouvi muito o ditado popular que diz: "A pressa é inimiga da perfeição". No que se refere à intercessão pelos filhos, essa é uma grande verdade. A pressa é uma adversária muito poderosa e influente. Vivemos em uma disputa contra o tempo, que parece correr mais rápido do que podemos alcançar. Os dias passam desenfreados; o ano passa voando! Tudo é corrido, acelerado, e deixamos de lado o que nos faz "perder tempo". Nessa correria cotidiana, esquecemos a oração, adiando-a para mais tarde ou deixando para fazê-la à noite — quando já estaremos exaustas demais para qualquer conversa. A pressa é irmã da ansiedade, sobre a qual Jesus disse: "... não se preocupem com o amanhã, pois o amanhã trará as suas próprias preocupações. Basta a cada dia o seu próprio mal" (Mt 6.34).

Não desejo fazer uma ode à preguiça, muito menos à inércia e à falta de coragem. O que defendo é o equilíbrio emocional bíblico, que nos é tirado pela agonia e pela ansiedade da loucura que é essa vida acelerada. Isso, com toda a certeza, interfere na qualidade da intercessão pelos filhos. Precisamos aprender a descansar e a confiar no Senhor.

Na pressa, deixamos o coração ansioso e corremos o risco de adquirir o feio hábito de "alinhavar" nossas orações. Você já viu alguém alinhavar uma peça de tecido em outra? Os pontos são bem largos, para, posteriormente, a retirada ser rápida e fácil. Mas não se pode vestir uma roupa alinhavada, porque isso implica o risco de as costuras se abrirem. A junção não tem firmeza, uma vez que não é forte o suficiente para aguentar um puxão, uma pressão um pouco maior, o sentar e o levantar.

A intercessão "alinhavada" é assim: feita rapidamente, com a fala rasa, sem substância, como se não saísse do coração. Esse tipo de oração sucumbe a qualquer pressão forte — as influências da vontade própria, os valores do mundo, as flechas inflamadas do Maligno. Interceder pelos filhos com pressa gera esse tipo de diálogo superficial com Deus, um erro cujo resultado não vale a pena conferir. Lembre-se: "O coração ansioso deprime o homem ..." (Pv 12.25).

Vontade própria

Como mães, desejamos proteger nossos filhos. Mesmo aquelas que defendem total liberdade para eles, a fim de que saibam tomar decisões próprias, na hora H vacilam e abrem os braços protetores. Esse comportamento é inerente à nossa estrutura emocional; faz parte da alma materna. É por causa desse sentimento que precisamos ter cuidado para não errar na intercessão pelos filhos. Sabemos que precisamos protegê-los, mas, se formos parciais na oração e tentarmos resolver tudo pela força do nosso braço, não conseguiremos dizer a Deus "Seja feita a tua vontade".

Na ânsia de cuidar dos filhos, protegê-los e abrigá-los, a mãe comete um erro grave: a oração que não entrega. Na oração de entrega o que prevalece é o querer divino. A fim de interceder segundo a vontade de Deus, renunciamos nossas intenções, abrimos mão daquilo que acreditamos dar certo para os filhos. É um estado de confiança tal que só pela fé podemos alcançar. Mas é importante que você saiba: não é uma oração fácil de se fazer.

Sei de homens e mulheres que poderiam ter alcançado altos cargos, o que deixaria seus pais muito orgulhosos. No entanto, atendendo ao chamado do Senhor, dedicaram sua vida a servi-lo, a ponto de, muitas vezes, optarem por trabalhar em locais distantes e precários. Precisamos pedir que Deus aumente diariamente nossa fé, sobretudo em tempos tão difíceis e violentos, para que aprendamos a descansar, confiar e nos orgulhar dos filhos que optaram por seguir a vontade do Senhor em vez da nossa.

Devemos estar constantemente atentas à nossa motivação, pois a satisfação dos desejos pessoais não pode de maneira nenhuma estar em primeiro lugar; a principal e maior motivação no processo de intercessão pelos filhos deve ser sempre a glória de Deus. Muitos não recebem a bênção que pedem por estar centrados unicamente em seus desejos, sem se importar com o que Deus quer.

Quem se sujeita ao Senhor e se submete ao querer divino não dá espaço para as próprias ambições. Essa submissão nos fortalece para resistir a Satanás e, assim, fazê-lo bater em retirada. O Diabo não respeita dinheiro, poder, *status* ou posição social; tudo isso ele tem nas mãos. No entanto, ele tem de se submeter àqueles que não se rendem aos seus propósitos malignos, que não se contaminam nem se rendem às coisas do mundo, mas permanecem quebrantados e fiéis à vontade de Deus (cf. Tg 4.4-5).

Ingratidão

Um coração ingrato é capaz de interferir negativamente na intercessão pelos filhos. Gratidão é algo cada vez mais escasso em nossos dias, quando acreditamos na falsa doutrina de que "temos direitos" e, por isso, precisamos reivindicá-los junto a Deus. As pessoas, hoje, estão muito mais autossuficientes espiritualmente que anos atrás. Com seus títulos, diplomas e conquistas, atribuem as bênçãos ao mérito próprio, e não ao soberano Deus, esquecendo-se de que "Toda boa dádiva e todo

> Um coração ingrato é capaz de interferir negativamente na intercessão pelos filhos.

dom perfeito vêm do alto, descendo do Pai das luzes, que não muda como sombras inconstantes" (Tg 1.17).

No entanto, para um seguidor de Jesus, isso não funciona assim. Por isso, andamos na contramão do mundo. Nossa dependência dele é total; todos os ganhos passam por sua ajuda e por sua soberana vontade. É verdade que temos de fazer nossa parte e nos esforçar, mas, se não fora a boa mão do Senhor estendida sobre nós, nunca conseguiríamos nada. Deus sempre nos dá alguma coisa a mais do que pedimos ou pensamos.

Interceder pelos filhos é apresentar-se a Deus com um coração grato por tudo o que ele fez e faz em nossa família. A ingratidão é um mal que nos afasta do Senhor e nos leva a caminhos de soberba e arrogância, achando que "nos bastamos" e que não há necessidade de depender exclusivamente de Deus.

Meu pai era um homem muito sábio. Ele sempre nos alertava sobre desconfiarmos dos ingratos porque estes não são pessoas confiáveis. Em nossa intercessão pelos filhos, não podemos de jeito nenhum cometer o erro de sermos ingratas ao Senhor. Ele é quem nos deu essa herança maravilhosa para amar e cuidar — sejam filhos biológicos, adotivos ou espirituais.

Excesso de confiança contra as forças do mal

Outro erro que cometemos com frequência na intercessão por nossos filhos é subestimar as forças espirituais da maldade. Os filhos são herança do Senhor e o Diabo trabalha arduamente para tragar essa herança. Deus nos confiou cada filho para que dele cuidássemos e, se necessário, travássemos grandes batalhas em sua defesa.

Quando dobramos nossos joelhos diante do Pai na intercessão pelos filhos, lançamos um desafio às hostes espirituais da maldade. É como se disséssemos: "Por aqui você não passa". Essa atitude gera resistência no mundo espiritual: o Diabo ataca com seus anjos do mal e com estratégias sujas e traiçoeiras. Por isso, não devemos nem podemos subestimar esse adversário. Jesus disse que Satanás é um ladrão que veio para "roubar, matar e destruir" (Jo 10.10). Não podemos, de maneira nenhuma, interceder dando brecha para que o Inimigo fure o bloqueio da nossa oração e interfira em nossas petições.

No livro de Daniel, temos um exemplo das lutas espirituais que ocorrem quando começamos a interceder. O profeta teve uma experiência esclarecedora enquanto intercedia pelo povo de Judá, cativo na Babilônia.

> No vigésimo quarto dia do primeiro mês, estava eu em pé junto à margem de um grande rio, o Tigre. Olhei para cima, e diante de mim estava um homem vestido de linho [...].
>
> Somente eu, Daniel, tive a visão; os que me acompanhavam nada viram, mas foram tomados de tanto pavor que fugiram e se esconderam. Assim fiquei sozinho, olhando para aquela grande visão; fiquei sem forças, muito pálido, e quase desfaleci. Então eu o ouvi falando e, ao ouvi-lo, caí prostrado com o rosto em terra, e perdi os sentidos.
>
> Em seguida, a mão de alguém tocou em mim e me pôs sobre as minhas mãos e os meus joelhos vacilantes. E ele disse: "Daniel, você é muito amado. Preste bem atenção ao que vou lhe falar; levante-se, pois eu fui enviado a você". Quando ele me disse isso, pus-me em pé, tremendo.
>
> E ele prosseguiu: "Não tenha medo, Daniel. Desde o primeiro dia em que você decidiu buscar entendimento e humilhar-se diante do seu Deus, suas palavras foram ouvidas, e eu vim em resposta a elas. Mas o príncipe do reino da Pérsia me resistiu durante vinte e um dias. Então Miguel, um dos príncipes supremos, veio em minha ajuda, pois eu fui impedido de continuar ali com os reis da Pérsia. Agora vim explicar-lhe o que acontecerá ao seu povo no futuro, pois a visão se refere a uma época futura".
>
> DANIEL 10.4-5,7-14

As lutas espirituais são uma realidade, bem como as forças opositoras às nossas orações. Sem meias palavras: estou falando de demônios. Se oramos sem verdadeira entrega e confiança em Deus, nosso diálogo com ele não passa de uma "oração adoecida". Com isso, abrimos as portas para que o Diabo e seus asseclas entrem e ajam.

Não poucas vezes, somos o lado mais fraco na disputa, mas, apesar dessa aparente desvantagem, vencemos. O segredo é ter sempre o Senhor dos Exércitos do nosso lado e o Inimigo, com suas tropas, bem afastado de nós. Nada acontece sem que as forças espirituais do bem e do mal estejam presentes. Na intercessão pelos filhos, não é diferente e devemos estar sempre atentas a isso.

Coração impuro

Se existe algo que impede o fluir das nossas orações é um coração impuro. Quanto lixo depositamos em nosso coração! O pior é que raramente nos lembramos de fazer uma faxina. Muitos sentimentos ruins nos ameaçam e, se abrimos a porta das nossas emoções e os deixamos entrar, o estrago é muito grande. Somos tomadas por sentimentos de inveja, cobiça, malícia, ganância... enfim, tudo que nos afasta do modelo de coração cristão.

> Quanto lixo depositamos em nosso coração! O pior é que raramente nos lembramos de fazer uma faxina.

Só poderemos ser habitação do Santo Espírito sem fazê-lo sentir-se constrangido de estar em nós se reconhecermos o que sentimos e realizarmos uma limpeza completa. Isso é muito sério no que se refere à intercessão. Nosso desejo deve ser sempre o que o salmista expressou: "Cria em mim um coração puro, ó Deus, e renova dentro de mim um espírito estável. Não me expulses da tua presença, nem tires de mim o teu Santo Espírito" (Sl 51.10-11).

Conversei certa vez com um pastor sobre alguns jovens que se encontravam perto de nós. O pastor apontou para um deles e disse: "Aquele é um bom rapaz, mas, infelizmente, é puro demais". Fiquei surpresa com o comentário e saí dali pensando naquelas palavras.

Não tinha como eu concordar com a afirmação, uma vez que a Bíblia fala bastante sobre o coração puro. Essa característica não podia ser um defeito, como o pastor insinuara. Depois daquele dia, sempre que vejo aquele rapaz, hoje já homem e pai de família, procuro nele sinais de um coração puro e, graças a Deus, sempre encontro. O pastor o avaliou de forma equivocada. Acredito com convicção que o jovem é aprovadíssimo na avaliação de Deus, porque Jesus mesmo disse, no Sermão do Monte: "Bem-aventurados os puros de coração, pois verão a Deus" (Mt 5.8).

Quando levamos nosso pensamento cativo a Cristo e obedecemos às suas ordens, criamos uma barreira de proteção ao nosso redor para que nossa intercessão suba diante de Deus como aroma agradável. Antigamente, debaixo da Lei mosaica, o perfume de incenso devia ser puro para que fosse considerado apetecível a Deus. Assim deve ser, hoje, a nossa oração: feita com um coração sincero. A oração dirigida ao Senhor por um coração impuro não é aceita, porque está escrito: "Se eu acalentasse o pecado no coração, o Senhor não me ouviria" (Sl 66.18).

Ore comigo

Senhor, ajuda-nos a perceber quais são os erros que frequentemente cometemos quando intercedemos por nossos filhos. Purifica o nosso coração e perdoa-nos de nossos pecados. Necessitamos de sabedoria para entender a tua vontade. Queremos orar em sintonia com o teu coração e não cometer erros que impedirão as mudanças que queres realizar em nós. Temos uma visão limitada deste mundo. Os valores deturpados da sociedade que vive longe de ti entram muitas e muitas vezes em nossa mente e em nosso coração, o que dificulta que reconheçamos a tua vontade. Não permitas que erremos pedindo o que não convém. Ajuda-nos, Senhor! Oramos em nome de Jesus. Amém.

Oração individual

Ore individualmente, pedindo a Deus para você não errar quando interceder por seus filhos:

_____
_____
_____
_____
_____

Para reflexão

> Mas o amor leal do SENHOR, o seu amor eterno, está com os que o temem, e a sua justiça com os filhos dos seus filhos, com os que guardam a sua aliança e se lembram de obedecer aos seus preceitos.
>
> SALMOS 103.17-18

> Eu lhes asseguro que se alguém disser a este monte: "Levante-se e atire-se no mar", e não duvidar em seu coração, mas crer que acontecerá o que diz, assim lhe será feito.
>
> MARCOS 11.23

> Portanto, humilhem-se debaixo da poderosa mão de Deus, para que ele os exalte no tempo devido. Lancem sobre ele toda a sua ansiedade, porque ele tem cuidado de vocês.
>
> 1 PEDRO 5.6-7

Uma mãe espiritual

Como orar por filhos, se ainda não sou mãe? Essa pergunta atormentava minha mente, até que um dia me tornei uma Débora e entendi que o chamado de Deus para orar intensamente por filhos não era apenas para mães biológicas ou adotivas. Deus chamava também aquelas que não tinham filhos, para que adotassem filhos espirituais.

Lembrei-me, então, das histórias de Ana, Rebeca, Isabel e tantas outras mães na Bíblia que primeiro clamaram e oraram por seus filhos ainda no âmbito espiritual, até que Deus as abençoou com filhos biológicos, os quais se tornaram homens abençoados por Deus. Ao perceber essa verdade e receber o despertamento para me tornar uma mãe intercessora, grande alegria encheu meu coração. Tornei-me, então, uma mãe espiritual e, como tal, quero ver meus filhos nos caminhos do Senhor.

As experiências de oração por meus filhos espirituais têm sido muito satisfatórias. Lembro-me de um episódio, em especial, que me marcou. Eu estava com meu esposo, no carro, conversando sobre o batismo de minha sobrinha Bianca, de 12 anos. Ela estava no banco de trás, calada. Pensei até que ela não estava dando importância à conversa. De repente, Bianca me perguntou:

— Titia, este ano terá batismo nas águas?

— Sim, meu amor. Por quê? — respondi.

— Porque quero me batizar — disse ela.

Surpresa, indaguei:

— E você sabe o que é batismo?

Ela nem vacilou:

— Claro que sim, titia. Eu sou de Jesus e quero ser sempre dele.

Meu coração saltitou de alegria, pois vi naquilo resposta de oração. Só o Espírito Santo é capaz de tocar o coração de um filho e fazê-lo entender que não pode caminhar sem Cristo.

As orações de mães intercessoras podem fazer ferver o coração de um filho. Agradeço a Deus por me permitir viver momentos espetaculares que testemunham o poder da oração na vida de meus filhos espirituais, em especial dos que se rendem aos pés do Senhor.

Sei o valor da oração de uma mãe. Eu e meu esposo somos fruto desse tipo de intercessão. Quando achávamos que nossa vida não tinha nenhum sentido, uma mãe de oração nos adotou como filhos espirituais e intercedeu por nós. Louvo a Deus pela vida dessa mulher! Em resposta às orações dela, hoje somos um casal de pastores que servem ao Senhor Jesus. A Bíblia, que não mente, diz: "... A oração de um justo é poderosa e eficaz" (Tg 5.16). Tenho certeza de que a oração de uma mãe muda, sim, a vida de seus filhos. Sou prova viva das respostas de oração feitas a Deus por uma mãe espiritual.

Pra. Márcia Araújo
Secretária do escritório nacional do Desperta Débora, João Pessoa (PB)

CAPÍTULO 6

SEJA ESPECÍFICA
FILHOS DIFERENTES PEDEM TIPOS DE ORAÇÃO DIRECIONADOS?

> Saibam, portanto, que o SENHOR, o seu Deus, é Deus; ele é o Deus fiel, que mantém a aliança e a bondade por mil gerações daqueles que o amam e obedecem aos seus mandamentos.
>
> DEUTERONÔMIO 7.9

Em nossa extraordinária carreira vitalícia de mãe, aprendemos que nenhum filho é igual a outro, nem mesmo gêmeos. Passamos a compreender isso quando nos damos conta de que Deus fez cada pessoa única. Vemos, na Bíblia, o salmista derramar o coração diante do Senhor e exaltá-lo pela forma singular como fora criado:

> Tu criaste o íntimo do meu ser e me teceste no ventre de minha mãe. Eu te louvo porque me fizeste de modo especial e admirável. Tuas obras são maravilhosas! Digo isso com convicção. Meus ossos não estavam escondidos de ti quando em secreto fui formado e entretecido como nas profundezas da terra. Os teus olhos viram o meu embrião; todos os dias determinados para mim foram escritos no teu livro antes de qualquer deles existir.
>
> SALMOS 139.13-16

Nossa oração materna deve seguir padrões diferenciados, de acordo com as necessidades específicas do perfil de cada filho. Precisamos ter em mente as diferenças de personalidade e temperamento, além do fato de serem meninos ou meninas; crianças, jovens ou adultos; e assim por diante. Tenho descoberto, ao longo dos anos, que orações específicas são significativas para a vida dos filhos.

Não que Deus não saiba de tudo; seu conhecimento é total, tudo está sob seu controle. Mas, ao conversar com o Senhor e apresentar-lhe as petições relativas a cada filho, com suas características próprias, me vejo descobrindo aspectos individuais que antes não notava, detalhes que apenas o Espírito Santo nos revela. Só percebendo tais características diferenciadas conseguiremos ser intercessoras eficazes.

Orar pelos filhos é um privilégio, uma experiência única. No entanto, muitas mães não oram porque desconhecem o valor da oração e o poder de Deus. Uma pena, mas é assim. Falo com conhecimento de causa: se a Mundo Cristão me convidasse para escrever este livro vinte anos atrás, eu não teria muito o que dizer. Saber que Deus existe não é suficiente para que você o sinta e experimente intimidade com ele. Existe essa relação distante, só de ouvir falar, muito bem explicada por Jó: "Meus ouvidos já tinham ouvido a teu respeito, mas agora os meus olhos te viram" (Jó 42.5). Eu sabia que o Senhor existia, mas não tinha com ele uma relação de Pai e filha. Então, entregar meus filhos era algo que nunca passara por minha mente, pois eu sabia muito pouco sobre isso. Minha vida de oração não era lá grande coisa, nem mesmo no que se referia a interceder pelos filhos. Eu estava no grupo que desconhecia o valor da oração e do poder de Deus. Foi preciso que eu me rendesse a Jesus para que uma mudança acontecesse em minha vida de oração.

Nas orações pelos diferentes perfis de filhos, um fator é inegociável: compreender que temos um aliado divino e que será sempre dele a palavra final. Se cremos que Deus tem o melhor para nós, é importante abrir espaço em nosso coração para que prevaleça a vontade dele. Na nossa mão está o lápis cujo grafite pode ser apagado; na do Senhor que salva, cura e liberta está a caneta eterna que escreve todos os aspectos da vida de nossos filhos, desde o ventre. É uma caneta empunhada por um Deus que mantém a aliança e a bondade por mil gerações daqueles que o amam e obedecem aos seus mandamentos, que transforma por completo a vida daqueles que o buscam — por toda a eternidade.

Vejamos a seguir aspectos que devemos levar em conta ao orar por nossos filhos, tendo em mente as características individuais de cada um.

Oração pelo filho cristão

Nada pode dar mais alegria a uma mãe cristã que saber que seus filhos são cidadãos do reino de Deus: "Não tenho alegria maior do que ouvir que meus filhos estão andando na verdade" (3Jo 1.4) É muita felicidade. Mas esse sentimento não pode ofuscar a necessidade contínua de interceder por eles, pois, mesmo que tenham entregado a vida a Cristo, não estão isentos dos ataques do Maligno — que vem para roubar, matar e destruir. A armadura de que fala Paulo em Efésios 6.11 é muito apropriadamente chamada de "armadura do cristão", justamente para que os discípulos de Cristo possam se defender das investidas do mal.

As orações pelos filhos cristãos não podem cessar nunca. Todos os dias vamos encontrar motivos para os apresentarmos ao Pai, sempre junto com um cântico de gratidão pela salvação deles. A prioridade da intercessão pelos filhos deve ser a salvação, em seguida as demais necessidades e, por fim, ações de graças. Uma vez que eles já tenham encontrado a graça de Deus, podemos prosseguir para as outras petições.

Precisamos viver em oração por nossos filhos cristãos. Oremos por fé, motivação, ânimo, coragem, saúde, relacionamento familiar, carreira e todas as áreas de sua vida. Mais importante que tudo: devemos ter sempre em mente que toda palavra que dirigirmos ao Senhor em favor deles precisa ter por base o desejo de que vençam os desafios e sejam testemunhas fiéis de Jesus Cristo, até o fim.

Oração pelo filho afastado de Deus

O que uma mãe sonha para os filhos? Que planos ela faz no coração desde a mais tenra idade deles? Para uma mãe cristã, o mais importante em toda oração deve ser, sempre, o rogo pela salvação de sua prole. Saber que um filho está afastado do caminho da vida eterna provoca uma dor profunda ao coração, seja o afastamento causado pelo fato de o filho nunca ter se comprometido com Cristo, seja resultante de um desvio posterior a um período de caminhada com o Senhor. Em outras palavras, aqui cabem os que nunca se converteram e os "desviados".

A boa notícia é que Deus está atento ao nosso clamor e é o maior interessado em resgatar sua herança. Quando uma mãe ora por um filho afastado do Senhor, ela defende uma causa justa, de vida ou morte. É uma defesa em prol do bem-estar eterno de seus descendentes. A oração por um filho faz diferença não só nesta vida, mas também na eternidade.

> Deus está atento ao nosso clamor e é o maior interessado em resgatar sua herança.

Não podemos desistir de orar por um filho, porque cremos que, no seu tempo, segundo a sua vontade, Deus responderá. O filho pródigo, aquele que um dia esteve na casa do pai e partiu, e também aquele que nem sequer se rendeu a reconhecer o próprio Pai, são as ovelhas perdidas do Bom Pastor! E, a respeito delas, Jesus disse:

> Qual de vocês que, possuindo cem ovelhas, e perdendo uma, não deixa as noventa e nove no campo e vai atrás da ovelha perdida, até encontrá-la? E quando a encontra, coloca-a alegremente nos ombros e vai para casa. Ao chegar, reúne seus amigos e vizinhos e diz: "Alegrem-se comigo, pois encontrei minha ovelha perdida". Eu lhes digo que, da mesma forma, haverá mais alegria no céu por um pecador que se arrepende do que por noventa e nove justos que não precisam arrepender-se.
>
> Lucas 15.4-7

O aspecto mais importante da oração por um filho afastado é, justamente, que o Pastor parta em seu resgate e o conduza ao aprisco. Nunca cesse, nem um dia sequer, de pedir a Deus que traga seus filhos à salvação. Ore por aspectos terrenos também, mas nunca perca o foco do que é prioritário: o bem-estar eterno da alma daqueles que você pôs no mundo. Afinal, foi o próprio Jesus quem afirmou ser essa a nossa prioridade: "Busquem, pois, em primeiro lugar o Reino de Deus e a sua justiça, e todas essas coisas lhes serão acrescentadas" (Mt 6.33).

Oração por uma filha

No caso específico da intercessão por uma filha, a dinâmica da oração gera um sentimento de empatia no coração materno; afinal, muitos detalhes daquilo que a mãe ora já foram vivenciados por ela mesma. É a vida que se repete.

A oração pela filha é um dos maiores testemunhos que a mãe pode oferecer. Sempre é necessário pedir ao Todo-poderoso que a herdeira se torne uma cristã cheia da graça de Deus, que carrega em si as virtudes do fruto do Espírito: "amor, alegria, paz, paciência, amabilidade, bondade, fidelidade, mansidão e domínio próprio" (Gl 5.22-23). *Cheia* significa *plena*, *completa*. Assim, nossa petição deve ter como foco a transformação da filha em uma mulher cada dia mais parecida com Cristo, no caráter e nas ações, uma mulher que tem um relacionamento firme com Deus e que essa intimidade afete positivamente suas relações com os outros e consigo mesma.

A mulher cheia de graça transborda beleza. Não me refiro especificamente a uma formosura física, mas àquela que vem do coração, do interior, como resultado da manifestação do fruto do Espírito. Quando essa beleza se manifesta, os olhos brilham, os lábios sorriem e todo o ser exala o perfume de Cristo. Essa mulher é cheia de uma graça que fortalece, levanta, aformoseia o rosto. Embora pressionada, ela não se sente desanimada; quando perplexa, não se desespera; perseguida, não se sente jamais abandonada; abatida, não se vê destruída (cf. 2Co 4.8-9).

É maravilhoso ver a graça de Deus sobre a vida de nossas filhas! Ore por isso.

Oração por um filho

O fato de se tratar de um filho homem não torna mais difícil para a mãe orar por ele. Temos com os filhos do sexo masculino ligações profundas, estabelecidas pelo Senhor desde o ventre. A oração aproxima mãe e filhos, além de estreitar e fortalecer os laços, principalmente em um mundo no qual, cada dia mais, observamos a destruição de famílias e a imposição para que a progenitora exerça papel de mãe e pai.

Quando oramos por uma filha, estamos dentro do nosso universo, reconhecemos passos que já demos, mesmo que em outra época. Afinal, já trilhamos alguns daqueles caminhos, que agora nos são familiares. Com o filho é diferente, pois temos de descobrir — sem ter passado por onde ele hoje passa — como sua lógica funciona. Orar pelo filho nos leva a um tempo precioso de desafios e de mais conhecimento da alma masculina, seus desejos, sonhos e comportamentos, que são diferentes do modo feminino de ser.

> A oração aproxima mãe e filhos, além de estreitar e fortalecer os laços.

O filho, por natureza, é mais racional, demonstra um pouco menos de emoção e, quando ele quebranta o coração pelo Senhor, é como se uma enxurrada rompesse as barreiras de proteção que represam um rio. Nesse momento, uma torrente deságua e inunda tudo. Essa é uma santa e boa enxurrada que toda mãe cristã anseia por ver.

Uma jovem senhora compartilhou comigo que, algumas vezes, ficava impaciente ao orar pelos dois filhos. Ela achava que, quando orava pela filha, a oração fluía mais rápida e facilmente. O resultado é que temia fazer uma oração "alinhavada" por eles. Essa irmã me perguntou se não bastava apresentá-los ao Senhor e deixar o restante com ele. Eu ri porque era um pensamento dos mais sinceros que já tinha escutado. "Deixar o restante com ele" é uma ideia curiosa, se consideramos que é Deus quem faz tudo! Eu a convidei para orarmos juntas, naquele momento, por seus filhos. Antes, porém, conversamos um pouco sobre eles: do que gostavam, onde estudavam, as atividades preferidas... Enfim, tentei obter informações sobre cada um. Começamos a orar e apresentei ao Senhor todos os aspectos que ela me havia relatado, um após outro. Ela permaneceu em silêncio durante toda a oração. Ao final, vi que ela me olhava como quem tinha descoberto algo. Foi quando me perguntou: "É assim tão simples?".

Claro que era, ainda mais para ela, que conhecia os filhos muito mais e melhor que eu.

Enquanto não entendermos que orar é conversar com Deus, adorá-lo em sua santidade e saber que ele anseia nos ouvir e abrir o coração com sinceridade, será difícil orar por um filho, uma filha, ou por qualquer outro motivo ou pessoa. Orar por um filho enriquece e acrescenta sabedoria de vida ao nosso coração.

Oração por um filho criança

Sempre que leio na Bíblia sobre o relacionamento de Jesus com crianças, tenho a impressão de que havia muita ternura no coração do Senhor: "Em seguida, tomou as crianças nos braços, impôs-lhes as mãos e as abençoou" (Mc 10.16). A criança desperta esse sentimento, e gosto de pensar que, ao receber nossas orações pelos filhos enquanto ainda crianças, Deus se agrada demais.

Para nós, mães, orar pelos filhos pequenos é como estar diante de uma folha de papel em branco, que, com o passar dos anos, vai sendo desenhada. Para Deus não é desse jeito; ele já conhece toda a vida dos nossos filhos e tem tudo planejado e organizado. Mesmo assim, podemos nos achegar em oração, conversar com ele sempre e acompanhar a criança em crescimento, dia após dia, junto ao Pai.

A vida é muito corrida, mas fazer uma boa lista de prioridades pode dar um jeito nisso. Escreva sua lista e, sempre que possível, ore com a criança. Deixe também que ela escute suas orações pela vida dela e a ensine a orar. Dê esse tempo para a criança ouvir sua conversa com Deus. Conte-lhe a história da Bíblia que mostra Jesus com crianças e outros relatos da vida do Mestre. Faça a criança se sentir parte e a aproxime de Cristo. Essa atitude fará diferença por toda a vida dela.

Os pequeninos ouvem e aprendem atentamente o que falamos e ensinamos; eles são nossos mais fiéis imitadores. Em 2014, minha netinha mais nova, Luiza, na época com 3 anos, se encantou com a narrativa sobre Sansão. Por isso, na escola ela aterrorizava os amiguinhos contando a história, os feitos e a morte do juiz hebreu.

A professora conversou com a mãe para saber onde ela tinha aprendido aquilo, ao que ela respondeu: na Bíblia! Não sabemos muito bem o que a professora pensou. Provavelmente ficou chocada e, quem sabe, até tenha pensado se não havia um relato mais tranquilo, de carneirinhos e pastores, para contar. Podemos até deixar Sansão mais para a frente, mas ensinar a Palavra de Deus ao filho criança e orar por ele e com ele é de vital importância.

Oração por um filho jovem

Ah, a juventude! Quanta saudade desse tempo vem ao coração! Época de liberdade para sonhar, planos para o futuro, pensamentos grandiosos, irreverência... Bons tempos. Mas a vida segue, o tempo passa e deixamos de ser jovens para nos tornar mães com a missão de orar pelos filhos jovens.

Como mães cristãs, nossa expectativa é ver os filhos rendidos aos pés de Jesus. De maneira nenhuma queremos que o Diabo alimente as fileiras do inferno tragando-os, ou mesmo que o Inimigo faça uso das mais cruéis armadilhas — como drogas — para afastá-los do imenso amor de Deus. Oramos, choramos, semeamos e lutamos para chegar diante do Senhor com os nossos feixes: "Aquele que sai chorando enquanto lança a semente, voltará com cantos de alegria, trazendo os seus feixes" (Sl 126.6).

A juventude é uma época maravilhosa na vida, mas também é período de ajustes, transições e questionamentos, o que desperta no coração do jovem sentimentos desconhecidos e, muitas vezes, desencontrados. A vida se encarrega de cobrar, de impor valores, de ditar regras e modas, e a maioria dessas coisas vai contra o que diz a Palavra de Deus.

> A juventude é uma época maravilhosa na vida, mas também é período de ajustes, transições e questionamentos.

É difícil dizer a um jovem que ele não pode nem deve fazer algo que todo mundo faz, algo que é "normal" para os padrões mundanos. Não é fácil fazê-lo entender que Deus o criou para algo maior, muito maior, e que é preciso escolher um lado. O grande conflito surge porque o lado de Cristo vive em luta constante com o mundo onde esse jovem transita, aprende, ama, se diverte, cria amigos; vive, enfim. Não é moleza! É muito complicado para os jovens passar um dia na escola ou na faculdade, circulando entre a "galera", formada por pessoas com os hormônios em total atividade, ouvindo mestres dizerem que todos são livres e podem fazer da vida o que bem desejarem. E, quando chegam em casa, os pais impõem limites e os disciplinam. Quão difícil é viver esse paradoxo! Não é fácil para um jovem sentir-se excluído das rodas de conversas e ser rejeitado com base em seus pensamentos e posições cristãos. É extremamente complexo!

É aí que entram nossa responsabilidade e missão como mães cristãs: orar intensamente pelos filhos jovens. A oração vai onde nós não podemos ir e chega ao lugar certo a que deve chegar: o coração de Deus.

Se você tem um filho jovem, anime-se! Ore ao Senhor em favor dele e peça que Deus o livre das más influências. Lembre-se de que sua oração será ouvida pelo único que pode transformar o coração. Deus pode fortalecer seus filhos jovens em terrenos onde você não tem domínio. Ele pode livrá-los do laço do passarinheiro, das tentações. Jesus pode encorajá-los no tempo da exclusão, do confronto e da solidão. Além disso, o Senhor pode fazer amigos certos se aproximarem deles, o que os ajudará na dura caminhada da juventude.

Oração por um filho adulto

Eles cresceram e se tornaram adultos, mas nossas preocupações não cessaram; pelo contrário, multiplicaram-se. É um engano grave pensar que, só porque os filhos são adultos, o coração da mãe fica descansado, com sentimento de missão cumprida. Uma boa mãe cristã, que teme ao Senhor e cujo coração se alegra só de pensar nos filhos andando no caminho da verdade, sempre estará vigilante, em alerta máximo.

O crescimento de um filho traz muitas consequências e nos põe em estado de constante oscilação entre a alegria e a tristeza, a esperança e a angústia, a paz e a tribulação. A verdade é que as preocupações do coração de uma mãe nunca terão fim. Pelo contrário, aumentam com a chegada de genros, noras e netos, pois são mais pessoas queridas de quem devemos cuidar em oração. Costumo dizer que não tenho mais um filho: tenho três, uma vez que ganhei dois genros; não tenho mais duas filhas, mas três, pois fui presenteada com uma nora. Como advogada, comparo essa realidade a um contrato vitalício.

Tenho chorado, diante do Senhor, junto a mães de filhos adultos. Mulheres que choram por eles e por si próprias. Quando levamos a sério o compromisso de interceder pelos filhos, muita energia e doses extras de ânimo nos invadem o coração, o que aumenta a confiança e a fé na entrega deles a Deus. Os filhos adultos estão mais longe do alcance de nossa proteção, mas, com a oração, eles estarão mais perto da proteção de Deus. Essa é a certeza que traz tranquilidade e nos permite descansar.

Ouvi, certa vez, o testemunho de uma mãe que nunca deixava seu filho, já adulto, sair de casa sem que ela orasse por ele e dissesse: "O Senhor cubra a sua vida". Aquele homem andava por lugares e vivia situações que sua mãe nem sequer poderia imaginar, circunstâncias associadas a religiões que não coadunam com a fé cristã. E ele chegou ao fundo do poço, mas ela não desistia de interceder. Um dia, o rapaz percebeu que algumas conexões malignas que aconteciam com seus amigos nos lugares por onde ele andava não aconteciam com ele e, por isso, questionou os líderes daqueles lugares. A resposta o deixou intrigado: "Isso ocorre porque você tem algo que o cobre, e a conexão se desfaz". Na mesma hora, ele pensou nas palavras que todos os dias sua mãe dizia, compreendeu quem era mais forte e entregou sua vida a Jesus, porque algo mais poderoso do que aquilo que lhe fora apresentado o cobria e o guardava verdadeiramente.

Encontrar o caminho da oração é tecer uma teia do amor de Deus em volta dos filhos adultos, estejam eles perto ou longe de casa. É acompanhá-los passo a passo com o coração e viver próxima deles, mesmo estando longe. E um ponto que merece atenção são as amizades. Não é porque um filho cresceu que devemos deixar de interceder por suas companhias. Essa é uma oração que precisamos fazer até o fim da vida. Viajo por todo o Brasil por causa dos compromissos com o Desperta Débora e tenho encontrado mães em todas as situações. Fracas, abatidas, fortes, cheias de esperança... Há de todo tipo de caso. Umas têm o coração cheio de tristeza; outras, repleto de alegria. A realidade é que os filhos dão o tom ao coração das mães. Não importam as distâncias, as barreiras, as opiniões, nada: se os filhos estão felizes, encontro mães felizes; se estão tristes, elas também ficam tristes. Os medos, os fracassos, os sucessos, as escolhas certas ou erradas são preocupações e alegrias que tingem de colorido ou cinzento os dias e o coração materno para o resto da vida.

Ore comigo

Querido Deus, intercedo pelos filhos, com todas as suas particularidades. Meninos, meninas, jovens, adultos, cristãos ou não. Muitas vezes, é difícil compreender o temperamento de cada um, mas tu os fizeste e os conheces; por isso, peço: dá-nos sabedoria, paciência e compreensão para que saibamos como guiá-los a seguir nos teus caminhos. Rogo que os chames, por tua graça, à salvação. Por favor, não permitas que nenhum deles fique pelos caminhos da vida, vítimas de malfeitores, agentes do mal que querem devorá-los. Nossos filhos são tua herança; então, guarda-os e livra-os de todo mal. Em nome do teu Filho, Jesus. Amém.

Oração individual

Ore individualmente, pedindo a Deus que lhe mostre como orar de modo correto por seus filhos, segundo o perfil de cada um:

Para reflexão

> Escreva-se isto para as futuras gerações, e um povo que ainda será criado louvará o Senhor...
>
> Salmos 102.18

> Eu sou o Senhor, o Deus de toda a humanidade. Há alguma coisa difícil demais para mim?
>
> Jeremias 32.27

> Consequentemente, a fé vem por se ouvir a mensagem, e a mensagem é ouvida mediante a palavra de Cristo.
>
> Romanos 10.17

Quando o pródigo é o seu filho

Muito se fala sobre o amor do pai na linda parábola do filho pródigo (cf. Lc 15.1-32). Mas, ao ler essa história, surge uma pergunta: e a mãe do moço? Como estaria aquela mulher anônima, cujo coração certamente ficou dilacerado ao perder o filho para o mundo? Ao refletir sobre isso, sinto empatia por esse sofrimento sem medida e consigo vê-la chorando muitas vezes, perguntando-se se poderia ter feito algo para evitar a rebelião do filho. Além disso, com certeza ela também esperava ansiosa por notícias.

Por que digo isso? Pois eu conheço essa dor. Sempre senti que meu filho mais velho seria o mais rebelde. Ele sabia o que queria e, na maioria das vezes, suas opções não coincidiam com o que nós, pais, queríamos para ele. Como o filho pródigo, nosso Leo saiu de casa para cursar a faculdade e, quando deixou nosso cuidado e nossa proteção, decidiu viver de acordo com seu coração. Rejeitou nossa vida, nossos conselhos, a direção de Deus. Como imagino que tenha ocorrido com a mãe do pródigo, eu senti angústia, dor, desespero, culpa, tristeza, desapontamento... Tudo o que suponho que ela sentiu. Comecei a duvidar do amor de Deus por mim.

Eu não conseguia entender o porquê, visto que tinha feito tudo o que sabia a fim de que meu sonho de ter uma família exemplar se concretizasse, mas os resultados foram devastadores. Eu não sabia como agir. Além disso, o que diriam as pessoas da igreja se soubessem como o filho do pastor estava vivendo? Eu escondia a situação e seguia como se nada estivesse acontecendo — mas, dentro de mim, tudo se transformara.

Comecei a sentir um grande ressentimento contra o Senhor. Mas o plano de Deus para minha vida era diferente do que eu imaginava, e um dia, no meio de meu maior desespero, o Pai mostrou que seu amor é tão grande que me permitiu sofrer. O sofrimento me fez olhar para dentro de mim mesma e reconhecer que tinha, também, um coração rebelde e que estava longe do lar. Entendi que Deus ama Leo mais do que posso amá-lo e vai cuidar dele como cuidou de mim.

Vinte anos se passaram desde que começamos a orar por meu filho, e a vida o tem levado a altos e baixos. Leo continua seguindo o coração, mas não tem paz nem alegria genuínas. É quase uma hora da madrugada no momento em que escrevo este texto e estou aguardando a chegada dele do trabalho. Não faço isso todos os dias, mas hoje quero beijá-lo e dizer-lhe mais uma vez que o amo e oro para que as bênçãos de Deus caiam sobre ele.

Durante todos esses anos, muitas coisas aconteceram e fizemos o que estava ao nosso alcance para que ele entendesse o caminho sem sentido que vem trilhando. Como o autor de Eclesiastes diz, há um tempo para tudo. Achamos que agora é tempo de falar pouco, agir menos e orar mais. É tempo de levar ao trono da graça a vida desse filho tão amado e de esperar o dia do Senhor, que virá, pois Leo é filho da promessa. Enquanto o dia não chega, vivo confiando, com esperança, louvando ao Senhor por sua fidelidade.

Tereza Gueiros da Silva
Orlando (EUA)

CAPÍTULO 7
ALÉM DA ORAÇÃO
QUE OUTRAS DISCIPLINAS ESPIRITUAIS DEVEMOS PRATICAR?

> Se o machado está cego e sua lâmina não foi afiada, é preciso golpear com mais força; agir com sabedoria assegura o sucesso.
>
> ECLESIASTES 10.10

Sempre que ministro palestras ou vou a encontros de coordenadoras do Desperta Débora, gosto de contar uma pequena história, de autor desconhecido, intitulada *Afiando o machado*. Diz assim:

> Um jovem lenhador forte e ambicioso estava ansioso para mostrar sua grande habilidade em derrubar árvores. Certo dia, desafiou o campeão da empresa em que trabalhava, um senhor bem mais velho, para ver quem derrubava mais árvores em um dia de trabalho. O jovem cortador começou atacando árvore após árvore, com uma fúria jamais vista entre lenhadores. O velho cortador também se aplicava à sua tarefa com toda a perícia que os anos de experiência lhe haviam concedido. O jovem deu risadas quando lhe contaram que o velho lenhador parava para descansar, de tempos em tempos, sob a copa de uma árvore na floresta. "É vitória certa para mim", pensou o jovem lenhador. Qual não foi a surpresa quando, no final do dia, o jovem ofegante encontrou o velho lenhador tranquilo e com duas vezes mais árvores cortadas que ele. Ele, então, descobriu que, em cada período de descanso, o velho e experiente lenhador estava afiando o machado. A moral da história é: quem afia seu machado cumpre bem o seu chamado.

Você poderia se perguntar: o que oração por filhos tem a ver com afiar o machado? Sabemos que orar é uma disciplina espiritual por meio da qual Deus abençoa, fortalece, ensina e conforta aqueles que o buscam e têm prazer em viver um relacionamento forte e profundo com o Criador. Mas a oração não é a única disciplina na vida de fé do cristão; há outras práticas cuja aplicação em nossa rotina devocional nos faz crescer e amadurecer, para cumprirmos bem o nosso chamado. E é aí que podemos afiar o machado, isto é, tornar nossas ferramentas ainda mais eficientes no propósito de lutar junto a Deus pela vida de nossos filhos.

Jesus disse: "Vocês não dizem: 'Daqui a quatro meses haverá a colheita'? Eu lhes digo: Abram os olhos e vejam os campos! Eles estão maduros para a colheita" (Jo 4.35). Os campos estão brancos, sim, e é hora de colhermos o resultado de nossas orações. Deus tem prazer em nos dar alegria e ver os filhos em seus caminhos. Enquanto colhemos, continuamos orando. Se um filho está encaminhado, abraçamos centenas ou milhares de outros, pois o que sonhamos é que nenhum se perca. Por isso, ainda temos muito trabalho, muitos filhos fora do aprisco, e precisamos nos fortalecer, nos alimentar e crescer diante de Deus.

Espero sinceramente que tenhamos uma vida plena com o Senhor, e isso vai além da oração. No exercício do chamado de interceder pelos filhos, precisamos, por exemplo, nos entregar ao exercício da piedade (cf. 1Tm 4.7). E isso sempre buscando a meditação nas Escrituras: "Até a minha chegada, dedique-se à leitura pública da Escritura, à exortação e ao ensino" (1Tm 4.13). Compreendemos bem o cuidado de Paulo com seu filho na fé Timóteo. E essas orientações servem para nós em nossos dias.

Devemos praticar as disciplinas espirituais nas atividades diárias não como pesos nem cadeias que nos prendem e sobrecarregam. Pelo contrário, a dedicação a elas nos deixa leves, mais confiantes, mais próximas de Jesus e do Espírito Santo. Por isso, encontramos na Bíblia o convite para nos dedicarmos a disciplinas como meditação, jejum, adoração e outras, que nos ajudarão muito em nossa vida de fé. Dada a grande importância de se associar a oração a essas disciplinas, compartilho informações sobre algumas delas.

Meditação nas Escrituras

Não basta ler as Escrituras; é preciso meditar sobre aquilo que lemos. Se não o fizermos, a leitura bíblica será somente um passar de olhos sobre letras e números, sem que represente nenhuma influência ou mudança significativa em nossa vida. Por isso, é fundamental entendermos que a absorção das informações da Bíblia só se processa com eficiência se conseguirmos parar para refletir sobre aquilo que lemos.

Mas há um problema: o corre-corre da vida. Somos apressadas, tudo é urgente, achamos as 24 horas do dia muito pouco para cumprir uma agenda lotada. Jesus, entretanto, nos convida a ter descanso, a não priorizar o amanhã a ponto de vivermos como se estivéssemos com um pé lá e outro cá. É difícil, pois a verdade é que não conseguimos nos aquietar.

No meio desse rebuliço todo, como é possível pensarmos em meditação? Será que somos capazes de ter uma rotina de meditação em dias como os nossos? Afora monges e alguns outros, quem pode parar por tanto tempo para meditar? Por incrível que possa parecer, essa disciplina é viável. Começar a meditar nas Escrituras é um alento para a alma, um ponto de partida para as demais disciplinas.

> Como é feliz aquele que não segue o conselho dos ímpios, não imita a conduta dos pecadores, nem se assenta na roda dos zombadores! Ao contrário, sua satisfação está na lei do Senhor, e nessa lei medita dia e noite. É como árvore plantada à beira de águas correntes: Dá fruto no tempo certo e suas folhas não murcham. Tudo o que ele faz prospera!
> Salmos 1.1-3

Como temos a Bíblia como nossa regra de fé e prática, tudo o que fazemos deve ser avaliado pelas Escrituras. Ela é o estatuto do cristão, e deve ser conhecida. Por isso, o tempo que dedicamos à reflexão e ao entendimento da Bíblia é precioso. Não devemos simplesmente ler as passagens, os capítulos e os versículos displicentemente, como se lê um livro qualquer. A Bíblia deve ser manuseada sob oração, com anotações, sanando-se dúvidas com especialistas ou livros, com base em reflexão, sempre em sintonia com o Espírito Santo. Só assim seremos iluminados por Deus e compreenderemos o conteúdo de sua Palavra.

É essa dinâmica de entendimento do conteúdo bíblico que nos faz ler um mesmo versículo em ocasiões diferentes e o Espírito nos leva a extrair lições distintas a cada vez, com base no entendimento divino do momento pelo qual passamos. Assim, o Senhor cuida do nosso coração da forma mais precisa. É lindo o modo como a Palavra fala conosco quando nos dedicamos à meditação!

Jejum

Muito se fala a respeito do jejum, mas é preciso esclarecer bem o que é essa disciplina espiritual. Nossa cultura costuma confundir jejum com sacrifício. Mas não é isso. Precisamos nos ater ao verdadeiro conhecimento e ao real objetivo do jejum, para que recebamos as bênçãos espirituais que advêm da prática dessa disciplina sem ficarmos ligados a um fanatismo questionável ou algo que seja encarado como desproposital.

> Nossa cultura costuma confundir jejum com sacrifício.

Jejum é uma forma de amortecer a carne e fortalecer o espírito. Na medida em que jejuamos, exercitamos o domínio próprio e, com isso, desenvolvemos o fruto do Espírito, ao mesmo tempo que alimentamos a espiritualidade. O jejum é uma celebração e, portanto, deve ser feito com alegria. Jesus instruiu seus discípulos quanto a essa prática:

> Quando jejuarem, não mostrem uma aparência triste como os hipócritas, pois eles mudam a aparência do rosto a fim de que os outros vejam que eles estão jejuando. Eu lhes digo verdadeiramente que eles já receberam sua plena recompensa. Ao jejuar, arrume o cabelo e lave o rosto, para que não pareça aos outros que você está jejuando, mas apenas a seu Pai, que vê em secreto. E seu Pai, que vê em secreto, o recompensará.
>
> Mateus 6.16-18

A Bíblia se refere à prática do jejum para fins espirituais como sendo a abstinência de alimentos líquidos e sólidos, exceto a água.

Jesus, por exemplo, jejuou por quarenta dias no deserto, e nada comeu. Todavia, as Escrituras também fazem menção a jejuns parciais, como o de Daniel. "Não comi nada saboroso; carne e vinho nem provei; e não usei nenhuma essência aromática, até se passarem as três semanas" (Dn 10.3). Vemos, ainda, situações de jejuns coletivos.

Em Israel havia um único dia de jejum oficial, pela expiação dos pecados. Depois outros dias em que essa disciplina era praticada foram sendo acrescentados. É maravilhoso e poderoso quando grupos se juntam para jejuar. Deveríamos incentivar mais essa prática em nosso meio, em nossos grupos de oração.

O jejum sempre foi compreendido nas Escrituras como uma disciplina muito importante, e precisamos meditar na Bíblia sobre essa relevância. O apóstolo Paulo costumava praticá-lo: "Trabalhei arduamente; muitas vezes fiquei sem dormir, passei fome e sede, e muitas vezes fiquei em jejum ..." (2Co 11.27).

Assim, vemos que o jejum é uma prática para nossos dias, válida como meio de fortalecer nossa espiritualidade e reduzir as inclinações da carne. Nunca podemos compreendê-lo como sacrifício usado como forma de barganha, a fim de tentar conseguir algo de Deus.

Comunhão

Não fomos chamadas para estar sozinhas na caminhada cristã, mas, sim, para fazermos parte de um corpo, o Corpo de Cristo, a Igreja. Jesus agrupou seus discípulos em uma comunidade, selecionou-os, ensinou-lhes, enviou-os dois a dois, mandou que se amassem e dessem a vida uns pelos outros: "O meu mandamento é este: Amem-se uns aos outros como eu os amei. Ninguém tem maior amor do que aquele que dá a sua vida pelos seus amigos" (Jo 15.12-13).

A disciplina da comunhão é uma chamada para a verdade de que Jesus chamou para si um povo: "Vocês, porém, são geração eleita, sacerdócio real, nação santa, povo exclusivo de Deus, para anunciar as grandezas daquele que os chamou das trevas para a sua maravilhosa luz. Antes vocês nem sequer eram povo, mas agora são povo de Deus ..." (1Pe 2.9-10).

Viver como igreja, em comunhão, é um grande desafio, mas também um grande prazer, uma alegria, uma escola na qual aprendemos a nos relacionar mutuamente, em Cristo Jesus. Apesar de sermos pessoas diferentes, com vida própria, erros e acertos, mágoas e feridas, precisamos aprender a viver em união. Não podemos deixar que a bênção da comunhão, que Jesus nos legou, torne-se um fardo para nós.

A comunhão acontece quando estamos presentes na vida da comunidade que frequentamos e nos importamos com ela e com os irmãos. "Como é bom e agradável quando os irmãos convivem em união!" (Sl 133.1). Não é bom que nos tornemos frequentadores apáticos da congregação, pois ela é uma extensão de nossa casa, do lar, da família. É ali que exercemos o amor de Jesus, a compaixão e a misericórdia, amando muitas vezes um irmão ou uma irmã tão diferente de nós.

Confissão

Vivemos, em nossos dias, momentos de incerteza, receio, competição acirrada em todas as possíveis formas, vigilância, medo. É um quadro caótico, que leva muitos ao desespero, à depressão, à desesperança. Nós, cristãos, não estamos imunes a tudo isso e também somos atingidos pela louca corrida que se tornou a vida no século 21.

Infelizmente, os seres humanos estão se tornando cada dia mais hipócritas, excelentes atores, interpretando com cada vez mais frequência o papel de alguém que ele não é e que nunca será. A humanidade tem se aperfeiçoado na má arte de enganar a si mesma e aos outros. E a pior constatação, a mais triste, é que, muitas vezes, nós, cristãos, estamos levando essa hipocrisia e intolerância para dentro da igreja.

O escritor Richard Foster, em seu livro *Celebração da disciplina: o caminho do crescimento espiritual*,[1] diz, em relação à disciplina da

[1] São Paulo: Vida, 1983.

confissão, que a consideramos uma prática muito difícil em parte porque vemos a comunidade dos crentes como uma comunhão de santos antes de vê-la como uma comunhão de pecadores. Chegamos a sentir que todos os outros progrediram tanto em santidade que nos encontramos isolados e sozinhos em nosso pecado. Por causa disso, não suportaríamos revelar nossas falhas e deficiências aos outros. Portanto, escondemo-nos uns dos outros e vivemos em mentiras veladas e em hipocrisia.

> Consideramos [a confissão] uma prática muito difícil em parte porque vemos a comunidade dos crentes como uma comunhão de santos antes de vê-la como uma comunhão de pecadores.

Com a alma doente, o que menos se deseja é expor o eu, o interior, mostrar a cara lavada, desnudar-se diante dos outros. E, para nos protegermos, recorremos a máscaras, disfarces que usamos para nos apresentar diante de uma sociedade pela qual não queremos ser reconhecidos como verdadeiramente somos. A máscara nos ajuda a não expor nosso pecado diante dos demais.

Exercer a disciplina da confissão é exatamente o contrário de tudo isso. É, primeiro, confessar os pecados ao Pai, lembrando que "Se confessarmos os nossos pecados, ele é fiel e justo para perdoar os nossos pecados e nos purificar de toda injustiça" (1Jo 1.9). Segundo, é compartilhar nossas fraquezas com os irmãos, a fim de que sejamos ajudados e curados: "Portanto, confessem os seus pecados uns aos outros e orem uns pelos outros para serem curados ..." (Tg 5.16).

O rei Davi falou da situação grave de quem acolhe o pecado dentro de si, mas não o confessa e vive uma vida mascarada: "Enquanto eu mantinha escondidos os meus pecados, o meu corpo definhava de tanto gemer. Pois dia e noite a tua mão pesava sobre mim; minha forças foram-se esgotando como em tempo de seca" (Sl 32.3-4). A disciplina da confissão traz cura, libertação e restauração à alma adoecida pela transgressão. Se desejamos interceder pelos filhos, precisamos chegar diante do Pai com sinceridade plena de coração, em transparência, tendo confessado os pecados e aberto o peito para aquele que tudo sabe.

Serviço

A Bíblia relata certa ocasião em que Jesus deu uma tremenda lição de humildade aos seus discípulos. Durante uma caminhada rumo a Jerusalém, a mãe dos filhos de Zebedeu aproximou-se do Mestre e pediu: "... Declara que no teu Reino estes meus dois filhos se assentarão um à tua direita e o outro à tua esquerda" (Mt 20.21). Cristo, no entanto, negou o pedido e disse exatamente o contrário do que todos aqueles que estavam ao redor esperavam: "... Ao contrário, quem quiser tornar-se importante entre vocês deverá ser servo, e quem quiser ser o primeiro deverá ser escravo; como o Filho do homem, que não veio para ser servido, mas para servir e dar a sua vida em resgate por muitos" (Mt 20.26-28)

Imagino a surpresa dos discípulos! Como seria possível que o Mestre falasse que viera para servir? Que loucura de aula era aquela? A verdade é que Jesus estava preparando aqueles homens para enfrentar tudo o que os aguardava na missão de proclamar o evangelho.

Hoje também funciona assim. Muitos cristãos acham que não foram chamados para trabalhar, para fazer o serviço do reino; pelo contrário, creem que já fazem demais na vida secular e que na igreja não deveria haver trabalho. Assim, tais pessoas se julgam importantes demais para servir aos irmãos.

A disciplina do serviço é um caminho importante, que nos leva à humildade. Como interceder pelos filhos sem humildade? Devemos entender que, mesmo que as mães devam ser honradas, respeitadas e obedecidas por sua prole, precisamos ser servas dos filhos. Isso significa estender-lhes todo o cuidado e orar como quem busca o melhor para eles. Nossas orações nunca devem se apresentar em tom de superioridade, mas como serviçais daqueles por quem intercedemos. Humildade. Entrega. Abnegação. Isso tudo caracteriza a oração de uma mãe que serve ao filho ao levar petições ao Pai em favor dele.

O serviço é uma disciplina muito importante, porque, quando disponibilizamos tempo, habilidade e até recursos para servir de coração, as pessoas por quem intercedemos ganham um serviço de qualidade e amor. Também nos colocamos em posição de humildade para com elas. Claro que não podemos saber se todos os que servem são humildes de fato — alguns podem não ter a motivação certa e ser superiores e arrogantes. Mas é certo que a disciplina do serviço nos ajuda a trabalhar o orgulho e a vaidade, para, como imitadores de Cristo, podermos dizer com sinceridade: vim para servir!

Solitude

Há momentos na vida nos quais pensamos em desistir de tudo. Quem nunca viveu um período assim na hora em que a dificuldade se apresenta? Mas desistir não resolve o problema, tampouco põe as coisas no lugar. Seria bom que, nessas horas, aparecesse alguém, com muita sabedoria, e nos levasse a um canto, a um lugar onde pudéssemos ficar a sós para ouvir orientações e conselhos. Assim, sairíamos do burburinho do dia a dia e ouviríamos com mais paz de espírito as palavras que nos apontariam o caminho.

Agora, pense em como seria interessante fazer essa parada não somente nos momentos de tribulação, mas em qualquer hora da vida: ir a um lugar calmo e tirar um tempo com nós mesmas e com o Senhor. A correria da vida já é uma indicação de que precisamos de um oásis de vez em quando.

> A correria da vida já é uma indicação de que precisamos de um oásis de vez em quando.

Não fomos criadas para viver sozinhas, mas, sim, em família, com amigos, em comunidade. Deus criou o homem como um ser social: "... Não é bom que o homem esteja só ..." (Gn 2.18). É bom ter gente por perto. Mas não devemos nos esquecer de que o silêncio também tem suas maneiras de falar, a calma também tem os seus sons. Tirar esses momentos para si significa buscar a *solitude*.

Jesus praticava a disciplina da solitude. Lemos na Bíblia que muitas vezes ele se retirou, sozinho, para buscar no silêncio tempo com o Pai e para refletir quanto às melhores decisões a tomar. "Num daqueles dias, Jesus saiu para o monte a fim de orar, e passou a noite orando a Deus. Ao amanhecer, chamou seus discípulos e escolheu doze deles, a quem também designou apóstolos" (Lc 6.12-13).

O mesmo ocorreu logo depois do milagre da multiplicação dos pães e dos peixes, quando Jesus mandou que os discípulos partissem pelo mar e subiu ao monte sozinho. "Tendo despedido a multidão, subiu sozinho a um monte para orar. Ao anoitecer, ele estava ali sozinho" (Mt 14.23). Também ao receber a notícia da morte de João Batista, o Mestre se retirou para ficar em solitude: "Ouvindo o que havia ocorrido, Jesus retirou-se de barco, em particular, para um lugar deserto" (Mt 14.13). Esse tempo a sós consigo e com Deus é muito importante.

Na qualidade de seguidoras de Jesus e suas imitadoras, tomamos seu exemplo para nos ajudar na caminhada cristã e para viver a agitação do dia a dia com equilíbrio. Precisamos, de vez em quando, parar um pouco, aquietar, ouvir a voz do coração e a de Deus. Se nos fortalecemos e recuperamos as forças nesses momentos de solitude, grande é o ganho para a causa do reino, para a igreja e, principalmente, para nossa vida pessoal. Que dirá, então, para os filhos!

* * *

Pratique as disciplinas espirituais. As que listei neste capítulo são as mais relevantes e, se levadas a cabo junto com a oração, farão a diferença na rotina de intercessão pelos filhos. Lembre-se de que as disciplinas precisam ser praticadas regularmente, para que você tenha um crescimento que leve ao fortalecimento espiritual. Como discípulos de Jesus, devemos afiar nosso machado sempre, para agir com excelência nas causas do reino.

Refaça a agenda e os planos, inclua momentos devocionais, pratique a meditação e a oração. E, se vierem à mente mil desculpas para não inserir as disciplinas espirituais no dia a dia, lembre-se: quem determina nossas prioridades somos nós mesmas. E, ao fazermos isso, estamos afiando o machado.

Ore comigo

Senhor, somos atarefadas, nossa vida é corrida, mas entendemos a urgência de praticarmos as disciplinas espirituais. Pai, ajuda-nos. Queremos aprender a melhor servir-te e a interceder por nossos filhos da maneira mais excelente, meditando na Palavra, orando, confessando os pecados, servindo e fazendo tudo o mais que for preciso. Tu és o nosso exemplo. Queremos ser tuas imitadoras, agindo de todo o coração. Precisamos de um tempo de solitude para ouvir tua voz e acalmar a alma. Orienta-nos, para que saibamos como fazer. Em nome de Jesus te pedimos. Amém.

Oração individual

Ore individualmente, pedindo a Deus que a ajude a praticar as disciplinas espirituais:

_____
_____
_____
_____

Para reflexão

> Portanto, também nós, uma vez que estamos rodeados por tão grande nuvem de testemunhas, livremo-nos de tudo o que nos atrapalha e do pecado que nos envolve, e corramos com perseverança a corrida que nos é proposta, tendo os olhos fitos em Jesus, autor e consumador da nossa fé.
>
> Hebreus 12.1-2

> Cada um exerça o dom que recebeu para servir os outros, administrando fielmente a graça de Deus em suas múltiplas formas.
>
> 1Pedro 4.10

> Meus filhinhos, escrevo-lhes estas coisas para que vocês não pequem. Se, porém, alguém pecar, temos um intercessor junto ao Pai, Jesus Cristo, o Justo.
>
> 1João 2.1

Fé e ousadia

Sou uma mãe de oração, uma Débora. Certa vez, conheci em um salão de cabeleireiro uma mãe que chorava muito a perda da filha de 14 anos, chamada Tainá. Não que ela estivesse morta, mas havia se entregado às drogas e à prostituição desde os 12 anos, além de cometer pequenos furtos. Para piorar, estava envolvida amorosamente com um chefe do tráfico de drogas. Ao ver aquela mãe tão aflita, uma mulher de Deus tão atribulada pela filha, passei a orar e compartilhei esse pedido de oração com as Déboras do meu grupo. Temos muitos grupos que interagem por redes sociais da Internet, e as mães se ajudam mutuamente em orações e palavras de ânimo.

Um dia, eu estava viajando a outra cidade quando senti uma inquietação enorme para orar pela filha da senhora de quem tinha escutado o lamento. Todo o tempo em que estive fora, senti aquele impulso de interceder por ela. Quando cheguei em casa, liguei para aquela mãe para saber se havia acontecido alguma coisa. Ela me disse que estava desesperada, pois havia três dias que a filha estava fora de casa, bêbada, drogada e, naquele fim de semana, tinha sido espancada por ter se envolvido com outro rapaz.

Meu coração se condoeu demais por aquela situação tão triste, por aquela mãe em tão grande desespero.

Depois de orar, tomei uma decisão: fui até a casa delas, pedi permissão à mãe e levei a adolescente para minha casa. Eu disse à jovem que a estava levando para estudar, trabalhar e se restaurar. Sou dona de um colégio e lhe ofereci que trabalhasse e estudasse nele. Ela aceitou e foi morar comigo.

Todos ficaram impressionados com a minha coragem. E se acontecesse algo com a menina? Seu círculo de relacionamentos era barra pesada demais, o que tornava a proximidade dela um perigo real. Mas eu estava cumprindo uma ordem do Senhor — e quando Deus manda, ele se responsabiliza. Não hesitei nem por um segundo, nem duvidei dos propósitos de Deus naquela jovem vida. Eu a acompanhei o tempo todo, com orações de libertação, jejum, momentos devocionais diários e, pela convivência com minha família, Deus começou a trabalhar no coração dela, resgatando valores perdidos.

Hoje, para a glória de Deus, Tainá foi liberta, entregou sua vida ao Senhor, continua estudando e trabalhando e voltou a viver com a mãe. A libertação não é fácil. As lutas continuam, porém agora é diferente, pois o Espírito de Deus a orienta. E eu, de posse da bênção concedida pela misericórdia de Deus, continuo orando por ela e toda a sua família, visitando-a e aconselhando-a.

DORALICE HONÓRIO
Igreja Batista Nacional, João Pessoa (PB)

CONCLUSÃO

> Já tinham desistido os camponeses de Israel, já tinham desistido, até que eu, Débora, me levantei; levantou-se uma mãe em Israel.
>
> JUÍZES 5.7

"Ninguém ora por um filho como uma mãe. Imagine milhares de mães orando juntas". Essa reflexão resume muito bem a proposta do Desperta Débora. Com base nessa premissa e na esperança que ela oferece, desejo concluir este livro com uma palavra de ânimo e, ao mesmo tempo, um convite para que você se torne uma mãe intercessora — caso ainda não seja. Não delegue a ninguém o precioso prazer de derramar o coração diante de Deus, apresentar os filhos a ele e, depois, descansar, por confiar nos cuidados do Senhor.

Não tire de seus filhos o prazer que o grande teólogo Agostinho de Hipona teve ao saber que sua mãe orava e chorava por sua salvação. Esse esforço de intercessão mudou a vida dele para sempre. Se seus filhos lhe derem ouvidos, vai mudar a deles também. A oração pelos filhos anima o coração e muda nossa vida. Na prática da disciplina da oração, oferecemos um testemunho forte e comprometido aos filhos, que nos observam constantemente. Eles enxergam nosso envolvimento com o Senhor por sua vida, o clamor, a perseverança, a confiança de entregá-los nas mãos de quem os ama muito mais que nós. Se somos mães e entregamos a Deus a vida deles, é porque vale a pena. Para os filhos, perceber essa entrega é uma grande lição de confiança, e, com certeza, isso os motiva a orar e a conhecer o Jesus de quem a mãe tanto fala.

> Ninguém ora por um filho como uma mãe. Imagine milhares de mães orando juntas.

Presenciar a prática da oração faz muita diferença na vida de um filho. Ao longo da história da Igreja, houve testemunhos fortes a esse respeito. O próprio caso de Agostinho de Hipona é um exemplo clássico. Homem devasso, ele acabou se convertendo e se tornando um dos mais importantes teólogos da história do cristianismo, por influência de sua mãe, Mônica. Outra mulher conhecida pela oração em favor da família foi Susannah Wesley. Deus a usou como intercessora dos filhos, entre eles John e Charles. John Wesley tornou-se o avivalista que deu início ao chamado movimento metodista, e Charles Wesley acabou compondo para a Igreja mais de nove mil hinos inspiradores.

Para todas nós, Mônica e Susannah são exemplos fortíssimos de mães que oraram, ensinaram e agiram para que os filhos conhecessem a Deus, se tornassem homens de oração e fossem separados pelo Senhor como legítimos embaixadores do reino de Deus. Nosso testemunho de oração para os filhos é importante demais. Aquilo a que eles assistem, de bom e de ruim, fica gravado na memória para sempre. Que a imagem da mãe intercessora seja o quadro mais bonito e a pintura mais excelente que eles carreguem na mente e no coração pelos caminhos da vida, aonde forem.

O mesmo Deus que ouviu as orações de Mônica e Susannah é o que escuta, hoje, as nossas. "Apeguemo-nos com firmeza à esperança que professamos, pois aquele que prometeu é fiel" (Hb 10.23). Assim, se queremos que nossos filhos sejam salvos e caminhem até o final da vida em aliança e obediência ao Senhor, devemos estar muito atentas. E, mais do que nos preocuparmos somente com sua salvação, precisamos almejar que eles se tornem intercessores e — por que não? — missionários. Para isso, temos de orar por eles, ensinar-lhes com nosso testemunho e agir, trabalhando com sabedoria para deixá-los em contato com pessoas comprometidas com o reino. É importante trazer para a convivência do lar homens e mulheres de Deus que nos ajudem no testemunho cristão que desejamos mostrar aos filhos. Procuro trazer à convivência da minha família pessoas assim, como a doutora Barbara Burns, americana que há mais de quarenta anos serve a Deus no Brasil. Uma amiga querida que minha família aprendeu a amar e a admirar como testemunho de vida cristã. Também devemos procurar incentivar amizades na igreja e nos engajarmos no trabalho com crianças, adolescentes e jovens da congregação. É importante que as mães se interessem pelas atividades que a igreja desenvolve, a fim de que os filhos se firmem no Senhor.

Orar pelos filhos é uma necessidade urgente. Fico com o coração apertado e tomado por preocupações ao meditar nas palavras do apóstolo Paulo a seu filho na fé Timóteo, num alerta sobre os últimos dias.

> Saiba disto: nos últimos dias sobrevirão tempos terríveis. Os homens serão egoístas, avarentos, presunçosos, arrogantes, blasfemos, desobedientes aos pais, ingratos, ímpios, sem amor pela família, irreconciliáveis, caluniadores, sem domínio próprio, cruéis, inimigos do bem, traidores, precipitados, soberbos, mais amantes dos prazeres do que amigos de Deus, tendo aparência de piedade, mas negando o seu poder. Afaste-se desses também.
>
> 2Timóteo 3.1-5

Essa é a condição do ser humano debaixo do pecado, que o afasta de Deus. Muito cuidado ainda é pouco! Todas as mães cristãs têm a importante tarefa, delegada pelo Senhor, de criar os filhos e zelar para vê-los servindo ao reino dos céus. Mas essa não é tarefa fácil. Por vezes, chegamos a crer que está além de nossas forças. Outras vezes, dói, machuca, faz sangrar, é duro. Com frequência, o caminho da intercessão nos leva a atravessar desertos, vales de trevas e de morte, caminhos salpicados pelo mal. Não é isso, porém, que a maioria deseja ouvir. Por essa razão, quando procuramos por testemunhos, raramente buscamos ouvir pessoas cujas orações ainda estão em processo, cuja resposta de "vitória" não ocorreu. Não é ruim receber as bênçãos de Deus e testemunhar sobre elas; devemos mesmo falar do Senhor e de seu poder. No entanto, o que não podemos nunca esquecer é que, entre a sexta-feira da cruz e o domingo da ressurreição, existiu o sábado do luto. E são muitas as mães que estão no sábado. É para essas mães que quero deixar uma palavra final.

Como coordenadora de um movimento de mães intercessoras, escuto muitos testemunhos, participo de conversas, recebo inúmeros pedidos de oração. Acolho no meu coração mulheres que chegam com histórias de mágoas e humilhações, machucadas na alma por aqueles que deveriam amá-las. Algumas vezes, ao voltar de um ou outro lugar, percebo que há pedacinhos de papel dentro da minha Bíblia, os quais trazem pedidos de oração pelos filhos. A pessoa, com vergonha de se expor, não teve coragem de se identificar para conversar. Choro lendo aqueles papéis tão simples e oro pelos pedidos. Não sei como terminaram algumas das situações neles descritas, mas de uma coisa tenho certeza: o Senhor está atento à oração daquelas mães.

Achar que a caminhada da vida é pavimentada só com bênçãos nos fragiliza para as dificuldades quando elas chegam. Jesus avisou: "Eu lhes disse essas coisas para que em mim vocês tenham paz. Neste mundo vocês terão aflições; contudo, tenham ânimo! Eu venci o mundo" (Jo 16.33). Para nos ajudar a enfrentar as aflições, o Senhor nos deu irmãos e irmãs em Cristo que nos amparam e fortalecem a fim de que tenhamos coragem, fé, suporte e esperança. Durante anos, as Déboras oraram para que Deus levantasse um exército de homens que tomasse posição em defesa de sua família. Hoje, celebramos a Deus pelo movimento Homens de Coragem, que tem como objetivo estimular cada homem a assumir a liderança espiritual de seu lar e a ser testemunha de Jesus onde vive. Como diz o pastor Marcelo Gualberto, o vento que soprou em 1995 na Coreia para o Desperta Débora soprou novamente no Brasil, levantando homens com coragem para ser diferentes e assumir o compromisso de fazer a diferença. Deus é fiel!

Que este livro seja, pela graça de Deus, uma forma de o Senhor instruir sua mente e animar seu coração. Peço ao Espírito Santo que esta obra toque o coração de cada mãe que o vier a ler. E deixo uma palavra de fé, esperança, confiança em Deus e incentivo: não desista nunca de orar por seus filhos. Nem você, que já recebeu a resposta de Deus, mas ainda tem petições diante do Altíssimo; nem você, que não viu nenhum sinal de resposta para aquilo que tem apresentado ao Senhor. Não perca a esperança. Não perca a fé. Não desista de orar.

E os filhos? Ah... Os filhos agradecem!

PLANO ANUAL DE ORAÇÃO EM FAVOR DOS FILHOS

Chegou a hora de pôr em prática o que lemos. Já vimos que não podemos ensinar os filhos a orar a não ser orando; é importantíssimo que eles saibam que, quando oramos, mantemos abertos os canais de comunicação com Deus. Aqui proponho um plano de oração que a guiará em sua intercessão no decorrer de um ano. Ore a cada semana com base no pedido específico, procure na Bíblia versículos que se ajustem ao propósito daquele período, abra seu coração para que o Espírito Santo expanda sua oração, busque orar segundo a vontade de Deus. Desejo que você tenha todas as experiências que advêm de um coração que ora.

1ª Semana	Oro pela conversão dos meus filhos. Que cada um deles seja alcançado pelo imenso amor do Senhor. Intercedo pela entrega total de cada uma dessas vidas a Cristo.
2ª Semana	Oro para que meus filhos tenham prazer na comunhão com os irmãos e que sejam intercessores.
3ª Semana	Oro para que meus filhos sejam livres dos ataques espirituais que chegam por meio de qualquer material ou conversa que vá contra a Palavra de Deus.
4ª Semana	Oro pelas mães e pelos pais dos amigos de meus filhos.
5ª Semana	Oro para que meus filhos se comprometam com a obra missionária pelo restante de sua vida.
6ª Semana	Oro para que meus filhos tenham coragem e ousadia para rejeitar tudo o que não vem do Senhor.

7ª Semana	Oro a fim de que meus filhos tenham sabedoria do Senhor para aproveitar cada oportunidade que surgir para testemunhar.
8ª Semana	Oro pelo despertamento de crianças, adolescentes e jovens para o Senhor.
9ª Semana	Oro pela cura de traumas sexuais, rejeição, complexos de superioridade ou inferioridade e de qualquer outro sentimento que possa gerar rebeldia em meus filhos.
10ª Semana	Oro pelos menores abandonados, meninos de rua e crianças órfãs. Que o Senhor, com seu imenso amor, possa assisti-los e suprir cada necessidade.
11ª Semana	Oro para que meus filhos sejam cada vez mais fortalecidos em Cristo.
12ª Semana	Oro pelo crescimento espiritual de meus filhos. Que não haja pecados não confessados, sentimentos de amargura, falta de perdão nem ânimo dobre.
13ª Semana	Oro pelas escolas e faculdades onde meus filhos passam a maior parte do dia; oro também pela influência dessas instituições na vida dos filhos de outras mães.
14ª Semana	Oro pelos diretores, professores, orientadores educacionais e coordenadores que atuam nas instituições onde meus filhos estudam, e em favor de cada disciplina que é ministrada a eles.
15ª Semana	Oro para que o Senhor dê aos meus filhos discernimento e firmeza para rejeitar os conceitos passados em sala de aula contrários à Palavra de Deus.

16ª Semana	Oro por capacidade intelectual, bom aprendizado e para que meus filhos tenham prazer nos estudos.
17ª Semana	Oro pelos amigos dos meus filhos nas escolas ou nas universidades que frequentam.
18ª Semana	Oro pelo trabalho evangelístico nas escolas e universidades de todo o país. Que o Senhor mantenha as portas abertas para a pregação da Palavra e a oração.
19ª Semana	Oro pelo bom relacionamento entre os meus filhos, para que haja amor, harmonia, camaradagem e respeito mútuo entre eles.
20ª Semana	Oro por paz, harmonia, alegria e amor em nossa casa. Que nossos filhos tenham prazer em estar em nossa companhia.
21ª Semana	Oro pelas crianças, pelos adolescentes e pelos jovens de nossa igreja. Que o Senhor os mantenha firmes na Palavra.
22ª Semana	Oro pela extinção de preconceitos sociais e raciais no coração de nossos jovens, adolescentes e crianças.
23ª Semana	Oro para que o Senhor levante em nossas igrejas jovens comprometidos, uma verdadeira geração de compromisso.
24ª Semana	Oro para que o Senhor livre meus filhos dos vícios de qualquer espécie. Que eles sejam sensíveis ao sofrimento dos colegas e amigos que estão nos vícios e intercedam por eles.
25ª Semana	Oro pela restauração dos filhos desviados, seja dentro das igrejas, seja fora delas. Oro para que se voltem para Jesus.

26ª Semana	Oro para que meus filhos se sintam felizes e privilegiados por pertencer a uma família cristã.
27ª Semana	Oro para que os amigos não cristãos não influenciem negativamente a vida dos meus filhos.
28ª Semana	Oro em favor dos amigos dos meus filhos.
29ª Semana	Oro para que os pais busquem sabedoria e graça, a fim de viver uma vida cristã coerente, que conduza os filhos a escolher sempre o melhor caminho.
30ª Semana	Oro para que o Senhor dê sabedoria aos pais, a fim de que saibam lidar com as diferenças de cada filho.
31ª Semana	Oro para que o Senhor desperte mais mães e pais naturais ou espirituais para interceder por seus filhos.
32ª Semana	Oro pelos filhos dos nossos pastores e por suas famílias.
33ª Semana	Oro pelos filhos de toda a liderança de nossa igreja.
34ª Semana	Oro por todas as necessidades dos filhos dos missionários.
35ª Semana	Oro pelos filhos de presidiários, por pessoas gravemente enfermas e por pacientes terminais.
36ª Semana	Oro pelas crianças adoentadas. Que o Senhor esteja com elas a cada instante e que nos use para levar-lhes conforto, amor e carinho.
37ª Semana	Oro pelas crianças e pelos jovens e adolescentes mais carentes e pelo trabalho que é realizado entre eles.
38ª Semana	Oro pelas crianças e pelos jovens e adolescentes que estão em nossas igrejas, mas cujos pais ainda não são salvos.

39ª Semana	Oro pela coordenação, pelos professores e auxiliares que trabalham com crianças, adolescentes e jovens em nossas igrejas.
40ª Semana	Oro pelos lares desfeitos e pelos filhos de pais separados. Que o Senhor supra toda ausência na vida deles e, acima de tudo, lhes dê graça.
41ª Semana	Oro para que tudo o que é verdadeiro, respeitável, justo e de boa fama ocupe os pensamentos de nossos filhos.
42ª Semana	Oro pelos líderes de ministérios com jovens, por sua família e pelo sustento na obra. Que o Senhor abençoe todo o trabalho.
43ª Semana	Oro pelos líderes de ministérios com mães, pelos integrantes desses ministérios e por suas famílias.
44ª Semana	Oro para que Deus dê paciência e sabedoria às mães intercessoras.
45ª Semana	Oro em favor de cada mãe intercessora, para que o Espírito Santo não permita que ela deixe o compromisso de orar diariamente pelos filhos e com eles.
46ª Semana	Oro pela vocação dos meus filhos. Que o Senhor os oriente na escolha de sua profissão, abrindo e fechando portas para o melhor desempenho de seus dons e talentos a serviço do reino.
47ª Semana	Oro pelos futuros cônjuges dos meus filhos. Pelos períodos de namoro, noivado e casamento.
48ª Semana	Oro para que o Senhor livre meus filhos do medo de doenças, de problemas e do futuro.

49ª Semana	Oro pelas crianças e pelos jovens e adolescentes de minha cidade, meu estado e meu país. Que o poder transformador do evangelho de Jesus alcance milhões, alterando o curso de sua vida e abrindo seu coração para o Senhor.
50ª Semana	Oro pela saúde física e emocional de crianças, adolescentes e jovens vítimas de abuso e violência de qualquer tipo.
51ª Semana	Oro para que, nos momentos de batalha espiritual, o Senhor me revista de força e da sua armadura.
52ª Semana	Oro para que, em tudo o que eu vier a apresentar a Deus, o Espírito Santo me ilumine, me ajude e me leve a confessar meus pecados.

SOBRE A AUTORA

Nina Targino é obreira da Missão Juventude Evangélica Paraibana (Juvep), membro do conselho coordenador da Aliança Cristã Evangélica Brasileira e congrega na Igreja Batista de Tambaú, em João Pessoa (PB). Advogada. Mãe de três filhos e avó de seis netos.

ANOTAÇÕES

ANOTAÇÕES

ANOTAÇÕES

ANOTAÇÕES

ANOTAÇÕES

Compartilhe suas impressões de leitura escrevendo para:
opiniao-do-leitor@mundocristao.com.br
Acesse nosso *site*: www.mundocristao.com.br

Equipe MC: Maurício Zágari (editor)
Ester Tarrone
Heda Lopes
Diagramação: Luciana Di Iorio
Preparação: Luciana Chagas
Revisão: Josemar de Souza Pinto
Gráfica: Imprensa da fé
Fonte: Caxton Bk BT
Papel: Pólen Natural 70 g/m^2 (miolo)
Cartão 250 g/m^2 (capa)